CULTURA REGIONALE
Serie diretta da Marco Guarnaschelli Gotti

AMEDEO SANDRI e MAURIZIO FALLOPPI, *La cucina vicentina*
AMEDEO SANDRI, *La polenta nella cucina veneta*
ANTONIO ALLEGRANZI, *La cucina del pesce dal Po a Trieste*
GIUSEPPE MAFFIOLI, *La cucina padovana*
RACHELE PADOVAN, *La cucina ampezzana*
GIUSEPPE MAFFIOLI, *La cucina veneziana*
GIOVANNI CAPNIST, *I dolci del Veneto*
GIUSEPPE MAFFIOLI, *La cucina trevigiana*
JACOPO MARINONI, *Cucina e salute con le erbe spontanee nelle Tre Venezie*
GIOVANNI CAPNIST, *I funghi nella cucina veneta*
PIETRO ADAMI, *La cucina carnica*
GIOVANNI CAPNIST, *La cucina polesana*
SANDRA MONTANI e ANITA VERONI, *La cucina della Bassa Padana*
GIOVANNI CAPNIST, *La cucina veronese*
M.A. IORI GALLUZZI e M. IANNOTTA, *La cucina ferrarese*
CIA ERAMO, *La cucina mantovana*
M.A. IORI GALLUZZI e N. IORI, *La cucina reggiana*
ALDO SANTINI, *La cucina livornese*
ANNA DOLCETTA, *La cucina agordina*
PAOLO LINGUA, *La cucina dei genovesi*
SALVATORE MARCHESE, *La cucina di Lunigiana*
GIUSEPPINA PERISI, *Cucine di Sardegna*
EMILIANA LUCCHESI, *La cucina della Lucchesia*
GUIDO GIANNI, *La cucina aretina*
SALVATORE MARCHESE, *La cucina ligure di Levante*
SANDRO BELLEI, *La cucina modenese*
MADY FAST, *La cucina istriana*
GIOVANNI GORIA, *La cucina del Piemonte*
LUIGI SADA, *La cucina della Terra di Bari*
BEATRICE MUZI e ALLAN EVANS, *La cucina picena*
MARIA GIUSEPPINA TRUINI PALOMBA, *La cucina sabina*
ALDO SANTINI, *La cucina maremmana*
MARIA PIGNATELLI FERRANTE, *La cucina delle Murge*
GIOVANNI RIGHI PARENTI, *Dolci di Siena e della Toscana*
MARCO GUARNASCHELLI GOTTI, *La cucina milanese*
ALDO SANTINI, *La cucina fiorentina*
EMILIA VALLI, *La cucina friulana*
PIERO ANTOLINI, *Racconti e cucina di Valtellina*
MADY FAST, *Mangiare triestino*
MARINO MARINI, *La cucina bresciana*
GRAZIANO POZZETTO, *La cucina romagnola*
ALDO SANTINI, *Chianti amore mio*
GIUSEPPE CORIA, *La cucina della Sicilia orientale*
ALDO SANTINI, *Brunello, sei grande*
GRAZIANO POZZETTO, *La gastronomia del Parco del Po*

Salvatore Marchese

CUCINA E VINI DELLE VALLI D'AOSTA

Franco Muzzio Editore

Prima edizione: giugno 1998
ISBN 88-7021-858-9

franco muzzio editore
via Makallé 97, 35138 Padova

Stampa: Nuove Grafiche Artabano – Omegna (VB)

Indice

La cucina delle Valli d'Aosta

Anche in una piccola regione come la Valle d'Aosta è possibile individuare specifiche caratteristiche che attestano l'esistenza di particolari tradizioni alimentari nelle singole zone. Due tra le preparazioni più popolari valdostane sono la Zuppa di Valpelline e la Zuppa di Cogne. La differenza sostanziale è minima: consiste in quel pugno di riso che viene aggiunto nel romantico centro del Gran Paradiso. Cogne è la meta degli escursionisti, degli amanti della natura e degli appassionati dello sci di fondo. Aspra e incontaminata, la Valpelline – una diramazione della suggestiva valle del Gran San Bernardo – è terra eccellente per gli alpeggi, forse tra i migliori in assoluto. Proprio in Valpelline, in una vecchia miniera di rame abbandonata, a Ollomont, si può assistere al superbo spettacolo dato dalle migliaia di forme di fontina poste a stagionare.

E caratteri certamente non valdostani sono più che evidenti nell'alta valle del Lys, a Gressoney, sotto il Monte Rosa, dove, a partire dal XII secolo si insediarono i Walser, popolazioni di origini germaniche. È sufficiente ammirare i loro costumi della festa, per capire la valenza della loro cultura. In cucina, qui, torna il riso, grazie alla vicinanza con i campi piemontesi di raccolta. Il "fessilsuppu" – ricetta di Issime – è una minestra di riso e fagioli strettamente imparentata con la classica panissa vercellese. La coscia di maiale è riservata alla produzione dello speck mentre Bosses, sui primi tornanti del Gran San Bernardo, ha sempre goduto di una sicura fama per il prosciutto aromatizzato con le erbe di montagna.

Altri fattori, nel tempo, hanno interessato il paesaggio agrario e, di conseguenza, gli orientamenti di cucina. A quote non troppo elevate, soprattutto nella Bassa Valle, ecco prosperare il castagno, un autentico albero del pane per gli innumerevoli usi dei frutti secchi e della farina da essi ricavata. Poi, le pere "martin sec" e le gustosissime mele.

Pensiamo, infine, per quanto riguarda la sinistra della Dora Baltea, all'impianto dei vigneti sulle ripide balze illuminate dal sole. Da pochi anni costituiscono una piacevole eccezione le vigne coltivate sulla destra del fiume nelle vicinanze di Aymavilles.

Gli elementi per parlare di più cucine valdostane legate al territorio ci sono tutti. I particolarissimi ritmi dell'alpeggio si intrecciano con i motivi geografici che pongono la Valle d'Aosta – trafficatissima via di comunicazione e di commerci – in strettissima correlazione con la Francia e la Svizzera. I motivi storici, invece, ci conducono immediatamente ai romani, i quali sapevano come cucinare il ghiro e salare le carni e, per momenti più recenti, ai Savoia, che regolamentarono la caccia. Iniziava (o si concludeva, a seconda dei punti di vista) in Valle d'Aosta il tratto italiano del percorso principale della via Francigena, la strada più importante nell'età medievale. Era la via delle spezie quali cannella, pepe, chiodi di garofano e zafferano. Era la via del pesce salato, le acciughe, e del pesce fresco, per soddisfare le esigenze dei giorni di digiuno dei monaci nei conventi. Aosta, con il complesso di Sant'Orso, diventa una tappa fissa per i pellegrini in transito da e per i valichi del Grande e Piccolo San Bernardo.

Ma la gente delle valli non cede alle lusinghe dei viandanti e delle merci. Anzi, la sua cultura si rafforza e suggerisce di volta in volta quale sia il buono da mangiare: così sono accolte con favore la farina di mais per la polenta e la patata, introdotte quasi contemporaneamente, come in altre regioni italiane, nella seconda metà del Settecento. In Piemonte, a Torino, la patata sarebbe stata coltivata inizialmente per mano dell'avvocato Vincenzo Virginio, allo scopo istruito dallo scienziato Alessandro Volta, e messa in commercio il 26 novembre 1803. In precedenza, consumatori del nutriente tubero erano soltanto i Valdesi.

Differenze si riscontrano pure nei dolci. I torcetti, i fragranti biscotti di Saint-Vincent, sono simili ad altri prodotti del Canavese. Le sottilissime tegole rappresentano il simbolo moderno di Aosta (la ricetta e la forma furono messe a punto negli anni trenta). È sicuramente vanto di Cogne il meculin, una sorta di panettone. Il dolce che non può essere impacchettato, tuttavia, è la "seupa de l'ain", la fresca zuppa dell'asino. È preparata con pane secco, zucchero e vino rosso, ma solo su alcuni alpeggi, la sera, per dare fantastico vigore alle storie raccontate sotto le stelle. La desarpa è ormai prossima. Presto, si tornerà a casa. Le scorte residue consentono lo spreco. In questo miscuglio si può condensare l'idea di semplicità che fa da sostegno alla cucina valdostana. La zuppa di pane e vino – che non è antica – era considerata un ottimo ricostituente.

I sapori della via Francigena

I valichi del Piccolo e Gran San Bernardo erano i principali passaggi obbligati per i viandanti – pellegrini, mercanti, crociati o poveri cristi che fossero – in transito sulla "Francigena". La "via romea" era il più importante dei percorsi medioevali in quanto collegava Roma e il sud dell'Italia con il Nord-Europa. Fu l'arcivescovo di Canterbury, Sigerico, durante il suo viaggio di ritorno da Roma, nel 990, a ricordare in una sorta di diario le diverse tappe del lungo cammino. Nell'attuale Lunigiana, nei pressi di Sarzana, si riunivano la strada da e per la Valle d'Aosta e i Paesi anglosassoni e la direttrice da e per Santiago de Compostela, in Spagna. È facile, allora, comprendere il reale valore della via Francigena, sede di intensi traffici di merci oltre che di uomini. Ancora di più si configura l'importanza del tratto valdostano, con i relativi svincoli per la Francia e la Svizzera, a fine mercantili. La barriera alpina aveva un enorme significato simbolico. Era, allo stesso tempo, traguardo di arrivo e punto di partenza. I ricoveri del Piccolo e Gran San Bernardo, erano tra i più conosciuti e accoglienti. Altri "ospitali", tuttavia, sorgevano a breve distanza per accompagnare il cammino dei pellegrini. Non erano solo luoghi di cura, così come potremmo pensare adesso. Si trattava di veri e propri alberghi dove venivano serviti cibi e bevande e prestata ogni altra forma di assistenza. Gli abitanti dei villaggi vicini esercitavano particolari attività di guida e trasporto, come a Etroubles e Sain-Rhèmy. Una delle soste più note era nei pressi di Etroubles, a Gignod: la Cluse (ora meta dei gastronomi erranti che si recano a La Clusaz). Il via vai consentiva gli scambi e gli acquisti di ogni genere alimentare: sale, pesce salato, orzo, formaggi, castagne, vino, pepe e spezie, carne, frumento. Aosta, inoltre, era vicina: i viaggiatori si apprestavano a effettuarvi una sosta prolungata o ne erano appena partiti. Il fascino della città, sede dell'imponente fiera di Sant'Orso, doveva essere grandissimo sia per l'aspetto religioso, assolutamente non trascurabile pure per le conseguenze politiche, sia per il profilo economico. Attraverso il Gran San Bernardo transitarono Carlo Magno (775), Enrico IV (1077) in procinto di arrivare a Canossa, Federico Barbarossa (1154), Napoleone Bonaparte, atteso dalla gloriosa Battaglia di Marengo (1800). Le truppe francesi riuscirono a superare con uno stratagemma il pericolo della supermunita fortezza di Bard, in bassa valle. Gli zoccoli dei cavalli, infatti, furono avvolti con panni che evitarono rumori. Per la storia della cucina fu una vera fortuna: uno dei cuochi di Napoleone era stato chiamato dal destino a codificare la ricetta del "pollo alla marengo". La gloria non si sarebbe certamente fermata di fronte a un terribile castello e a una strozzatura della Dora, in un angusto e tetro canalone. Ma sul passo, a poco meno di 2500 metri di quota, passarono le botticelle di vino valdostano (spesso di Chambave) da vendere in Svizzera e le barbatelle della "petite arvine" di origine Vallese; la viticoltura, per naturali necessità microclimatiche, si è poi sviluppata sul fianco sinistro della Dora Baltea, seguendo la direttrice della via Francigena e dei cento castelli in luoghi già apprezzati dai romani.

I menu

Oggi, più che mai, la cucina è diventata un formidabile elemento di sostegno della promozione turistica di un territorio. Facciamo un esempio con la lista dei cibi e dei vini serviti il 28 giugno 1996, presso il ristorante dell'Hotel Villa dei Fiori di Luciano Glarey a Sarre, in occasione della cena di gala della manifestazione "Dove nasce la Fontina" (il ristorante ha cambiato gestione nell'estate 1997). Si tralasciano le traduzioni in inglese e tedesco mentre si riporta la versione in francese:

Prosciutto di Saint Marcel e castagne al burro
Un magico miscuglio di erbette conferisce un originale sapore al prosciutto, sposato alle castagne secche cotte nel burro. Oggi è un delizioso modo per iniziare un pasto valdostano.

Un mélange magique de fines herbes confère une saveur originale au jambon qui se marie bien aux châtaignes sèches cuites au beurre. De nos jours, c'est une délicieuse manière de commencer le repas. Autrefois, elle servait pour vivre.

Mocetta e lardo
La mocetta – un tempo di camoscio e altra selvaggina da pelo, oggi di manzo – rappresenta un mezzo per conservare la carne con l'aiuto del sale, in montagna. Il lardo, familiare nella Bassa Valle, si conserva perfettamente, migliorando, nella stagionatura in salamoia. Insieme, vanno d'amore e d'accordo.

En montagne, la mocetta – jadis de chamois ou autre gibier à poil, aujourd'hui de bouvillon – est un moyen, grâce au salage, de conserver la viande. Le lard, commun dans la Basse Vallée, se conserve parfaitement et se bonifie par macération dans de la saumure. Les deux s'accordent bien ensemble.

Salignon con le mele
La ricotta è un prodotto del ciclo della trasformazione del latte in Fontina. Aggiunta di olio, peperoncino e aromi e lasciata riposare al fresco per almeno un giorno assume una cremosa consistenza che viene esaltata dal pane nero. La vivacità delle mele di Saint Pierre porta una nota di freschezza.

La ricotta est un dérivé du cycle de transformation du lait en Fontina. Après y avoir ajouté de l'huile, du piment et des arômes, on la laisse reposer au moins pendant une journée pour lui donner sa consistance crémeuse qui, dégustée avec du pain noir, devient encore plus ragoûtante. La saveur des pommes de Saint Pierre apporte une note de fraîcheur.

Tortino di verdure e fonduta
La Fontina, con latte, burro, uova e un pizzico di farina e pepe, diventa fonduta, l'ideale complemento di molte ricette.

La Fontina, mélangée à du lait, du beurre, des oeufs ainsi qu'un soupçon de farine et de poivre devient la fondue, le complément idéal de maintes recettes.

Risotto con Fontina
Il riso veniva acquistato nel Vercellese e nel Canavese quale richiestissimo cibo alternativo alla monotonia delle zuppe. La Fontina restava la Regina della tavola.

On achetait le riz dans le Vercellésais et le Canavésais. C'était un aliment très apprécié qui servait d'alternative à la monotonie des soupes. La Fontina restait souveraine de la table.

Seupa Valpelinentze
Pane di segale, cavolo, Fontina e brodo: ecco la corroborante zuppa valdostana per eccellenza. Nella Valle di Cogne, aggiungono un po' di riso, e diventa una sciccheria.

Pain de seigle, chou, Fontina et bouillon: voici la tonifiante soupe valdôtaine par excellence. Dans la Vallée de Cogne, on y ajoute un peu de riz et cela devient un plat raffiné.

Carbonada e polenta
La carne salata era fatta rinvenire nel vino e arricchita col profumo

delle spezie. La lenta cottura faceva concentrare l'intingolo nel quale tuffare bocconi di una solare polenta.

On faisait revenir la viande salée dans du vin et on y ajoutait des épices qui lui donnait un certain parfum. La cuisson lente épaississait la sauce dans laquelle on plongeait des morceaux de polenta *rissolée.*

Fontina e Toma
La Fontina è la sublimazione gustativa del complesso mondo dell'alpeggio; la toma, più o meno stagionata, è una piacevole curiosità che si concedono gli appassionati.

La Fontina est la sublimation gustative du monde complexe de l'alpage; la tomme, plus ou moins affinée, est une curiosité agréable que s'offrent les passionnés.

Dolce di mele
Il frutteto è elemento che contraddistingue il paesaggio circostante Aosta, spesso insieme alla vigna. Le mele renette sono di primissima qualità, come conferma il favore del mercato.

Le verger est l'élément qui caractérise le paysage environnant Aoste, souvent associé à la vigne. Les pommes-reinettes sont d'excellente qualité comme le confirme la tendance du marché.

La Fiocca
Fiocca la neve, bianchissima e soffice. È la panna fresca, deliziosamente civettuola nell'accogliere cioccolato fondente, cialde croccanti e qualche goccia di grappa.

Fiocca, la neige, blanche immaculée et moelleuse. C'est la crême fraîche qui devient délicieusement appétissante accompagnée de chocolat fondant, de gaufrettes croquantes et de quelques gouttes de grappa.

Lo pan neir
Nella tradizione valdostana, la preparazione del pane nero costituisce uno dei momenti più significativi. Veniva fatto pochissime volte l'anno, con la cottura nei forni comuni per tutti gli abitanti dei singoli villaggi. Veniva custodito con cura. Il mangiarlo era una gioia.

Dans la tradition valdôtaine, la préparation du pain noir constitue l'un des moments les plus significatifs. On ne le faisait que peu de fois par an. Il était cuit dans des fours communs aux habitants du village. On en prenait grand soin. Le manger était une joie.

I vini

Blanc Fripon
Cave du Vin Blanc de Morgex et de La Salle – Morgex

Chardonnay Les Crêtes
Les Crêtes – Aymavilles

Gamay
La Crotta di Vegnerons – Chambave

Torrette Superiore
Cave des Onze Communes – Aymavilles

Chambave Passito
La Crotta di Vegnerons – Chambave

Génépy

***

Proprio i ristoranti e gli alberghi – ma sarebbe preferibile dire "i ristoranti degli alberghi" – hanno individuato uno schema di lista delle vivande comprendente, come nelle altre regioni, antipasto, primi, secondi e dessert per andare incontro alle richieste degli ospiti. Motivi di praticità, dunque, hanno suggerito la disposizione secondo un'ideale sequenza di tanti piatti unici spesso assai sostanziosi nei sapori. Elaborazioni semplici: talvolta risulta forse difficile definirle ricette nel vero senso della parola. Ma non per questo si deve pensare a una cucina "minore", profondamente legata com'è al territorio per condizioni microclimatiche e specifiche risorse. Cucina "ossessiva", magari, ma di grande dignità.

I cuochi, nel tempo, l'hanno interpretata, com'è giusto che sia. A. Létey Ventilatici in *Courmayeur nei secoli* (Il Monte Bianco, Bologna, 1965) ricorda che: "Nel 1855, il Grand Hotel Royal di Courmayeur proponeva, per 4 lire, il seguente menu: salame, zuppa, cacciagione, patate al burro, camoscio al Madera, trote con lattuga, zucchini stufati, spezzatino di lepre con insalata, fagiolini, arrosto di montoni con peperoni, composta di pere, uva, biscotti... Tra i vini, Enfer d'Arvier e Torrette".

Quasi un secolo e mezzo più tardi altri ristoratori hanno dato lustro alla tradizione regionale trasformandola in sicuro piacere gastronomico. Troveremo, più avanti, alcune ricette di Paolo e Franco Vai – ora al Royal e Golf di Courmayeur – dell'Hotel Bellevue di Piero Roullet a Cogne e di locali anche non valdostani. Il confronto tra passato e presente aiuterà a comprendere quanti possono essere gli insegnamenti da trarre dalla semplicità della cucina della Valle d'Aosta.

Pane di segale, zuppe, polente, carni salate. Mangiari di tutti i giorni, per la gente comune. La Valle, tuttavia, ha avuto modelli alimentari e gastronomici simili a regioni apparentemente più importanti. Anche qui, infatti, c'è stata una cucina propria delle classi più abbienti. A parte gli Challant e i proprietari di tanti castelli, non è possibile tralasciare il ruolo assunto dai religiosi, spesso gratificati dal potere temporale. Riccardo Di Corato, nel suo *Viaggio fra i vini della Valle d'Aosta*, ha ripreso giustamente la testimonianza dello storico Lino Colliard riferita a un manoscritto del 1570 circa i privilegi del monastero di Sant'Orso (*La vielle Aoste*, Aosta 1973): "I religiosi ricevevano carne tre giorni la settimana: la domenica, il martedì, il giovedì. Facevano astinenza tutti gli altri giorni della settimana. Digiunavano il venerdì e facevano astinenza altresì le vigilie, le Quattro Tempora e durante l'Avvento e la Quaresima. I giorni di digiuno non ricevevano che un pasto di magro a mezzogiorno; dopo avevano diritto a una leggera colazione.

Gli alimenti distribuiti erano i seguenti:

a) carni: bue, montone, porco, capretto, cappone, lardo;

b) pesce: aringa, acciuga, trota, anguilla;

c) legumi e frutta: piselli, cipolle, funghi, rape, mandorle, noci;

d) latticini: burro, formaggio, "cèras" (formaggio bianco acido); e inoltre uova, pane di frumento e pane di segale.

Il vino era distribuito in quarti e mezzi quarti.

Per taluni pasti si usavano quattro tipi di vino di prima qualità.

Non è spiegato come si preparava la carne di bue, di montone, di porco, di capretto; solo per la *coena* (cena) la carne era *asseta* (arrostita).

Le uova potevano essere *frixa* (fritte e passate al burro) et *omnisqua* o *pelaye* (omelette).

Alle uova *frixa* si aggiungeva una salsa a base di zafferano con *mistis* (erbe trite). Altre salse sono impiegate sia per le carni, sia per i pesci: *salsa viridis* (salsa verde), *salsa buletti* (salsa di funghi). Il *sinapium* (senape) accompagnava le carni di bue e di montone."

Ecco alcune voci di menu:

– *Potagium de herbis cum vacherino sive caseo* (zuppa di legumi e formaggio);

– *Potagium appellatum "cherestreyty" specibus confestum* (zuppa con spezie e conserva);

– *Rapae cum seracio* (rape con "céras");

– *Frumentum pistum conditum amidallis* (frumento macinato con mandorle);

– *Pureata cum speciebus* (purea con spezie);

– *Lazania cum vacherino gratusato* (pasta col formaggio grattugiato).

"In questi menu si può constatare l'uso abbondante di spezie che facevano i nostri avi. Il capitolo di S. Orso possedeva già allora l'alpeggio di Comboé. Il *fruterium* (formaggiaio) doveva fornire al monastero, di tempo in tempo, burro e formaggio *de Alpe de*

Combuye. Quando portava queste derrate gli si doveva dare il pranzo.

Il Giovedì Santo il monastero invitava trenta poveri. Dopo la lavanda dei piedi veniva distribuito loro pane di frumento, pane di segale, zuppa, vino buono *cum speciebus videlicet drogiatis seu agnys* (con spezie ossia drogato ovvero agnys). Sarebbe curioso sapere in cosa consisteva questa mescolanza che prende il nome di *agnys*".

Il cibo del ricco, il cibo del povero, il cibo della gente comune: l'alimentazione come simbolo della condizione sociale. Seguire le vicende cucinarie costituisce, come altrove, un modo per ripercorrere le storie degli uomini. Che qui hanno imparato a convivere con un ambiente dalle caratteristiche straordinarie.

Il pane e le zuppe

A l'epetail di pay
Dz'i ren voya de pan blanc,
Et lo cadò pi joulì
Que me porton l'est lo pan,
Ma... lo pan de l'atre cou,
Lo pan que fedzé pagan;
Lo pan neir, bien deur, bien grou,
Lo pan de me premié s-an.
Deur me plét de lo roudzé,
L'est pi bon que lo bisquit!
Deur me plét de l'aveitsé
Lo pan neir l'est mon ami!.

Marie Coudre: Noutro Dzen Fatoué

(All'ospedale del paese / non ho voglia del pane bianco, / e il regalo più bello / che mi portano è il pane, ma...il pane di altri tempi, / il pane che faceva il nonno; / il pane nero, ben duro, ben grosso, / il pane dei miei primi anni. Duro, mi piace mangiarlo / è più buono del biscotto! / Duro mi piace guardarlo / il pane nero è il mio amico.)

Il pane di segale

La segale, originaria dell'Asia centrale, cominciò a diffondersi attorno al 4000 a.C. Restò un cereale poco conosciuto nei paesi del Mediterraneo, il regno del frumento, mentre fu subito apprezzato al Nord, adattandosi ottimamente ai terreni poveri e ai climi umidi e freddi. La sua coltivazione prese a svilupparsi quattro secoli prima di Cristo e mise subito in evidenza il vantaggio conseguente alla possibilità di semina – sia in primavera sia in autunno. Non c'era bisogno di preparare i terreni e la preoccupazione del loro impoverimento.

Durante il Medio Evo la sua importanza, in certe aree, fu tale che il termine "siligo" significò addirittura frumento, almeno fino all'XI secolo. In Piemonte il suo consumo fu molto importante fino al 1400. In proposito, scrive Anna Maria Nada Patrone: "Questa netta preponderanza delle colture a segale, oltre a porsi come elemento distintivo dell'economia agraria medievale pedemontana (e in genere di buona parte dell'Europa occidentale) è un'ulteriore conferma dell'insufficienza produttiva dell'agricoltura… tanto che la coltura della segale non veniva circoscritta ai terreni scarsamente fertili o comunque alle coltivazioni di aree montagnose… non fu soltanto un ripiego… ma il frutto di una scelta".

Il glutine della segale è meno interessante di quello ottenuto dalla panificazione della farina di frumento, ma la ricchezza di "pentosani" consente di trattenere molta umidità conferendo al pane di segale un notevole valore alimentare. Non per nulla, dunque, il pane veniva preparato una volta l'anno per essere conservato nelle apposite restrelliere. La purezza dell'acqua dell'impasto ha, in questo caso, una incidenza fondamentale sulla qualità. A Cogne, per esempio, sostengono che il loro pane sia sempre stato il migliore della Valle d'Aosta. Era cotto nei giorni stabiliti, nel periodo di luna crescente per favorire la lievitazione, nei forni comuni del villaggio e la preparazione costituiva un momento di festa. Si pensi al singolare attrezzo – il copapan – usato per tagliarlo quando è secco e al ruolo primario svolto nella tradizione cucinaria locale, dov'è il grande protagonista delle zuppe e dell'incontro con la mocetta e i salumi. A proposito di pani medievali, Anna Maria Nada Patrone fa rilevare: "Nei documenti della Valle d'Aosta si trova indicato abbastanza frequentemente il 'panis petasonus' cioè un pane condito con grassi animali (lardo, strutto) così da poter essere quasi considerato una torta salata".

Il pane nero è ottimo fresco, con i salumi, il burro e il miele, e viene utilizzato, raffermo, per le gustose zuppe con il latte o il brodo. Con la farina di segale venivano confezionati speciali dolci rustici da mangiarsi a Natale: questi potevano avere forme di volti fantastici. Ad Aosta, ne prepara di buonissimi – tutto l'anno, il martedì e il giovedì – la Pasticceria Nelva (in prossimità delle Porte Pretorie).

Zuppa di pane e formaggio

Ingredienti:
Pane di segale
Fontina
Toma
Brodo di carne
Pepe

In ciotole individuali mettere il pane tagliato a tocchetti e i formaggi (ridotti a listarelle o a cubetti). Cospargere un pizzico di pepe macinato al momento e versare il brodo bollente. Lasciare insaporire per qualche secondo.

Ingredienti semplici come l'esecuzione. Ma pane, formaggio e brodo rappresentano, pure nella loro essenzialità, altrettanti momenti di rilevante portata culturale (il pane di segale è preparato una sola volta per tutto l'anno; le vicende degli alpeggi e la particolare tecnologia della fontina; il brodo ottenuto dalla bollitura della carne salata).

Asulette

Ingredienti:
4 cucchiai di farina di segale
30 g di burro
Acqua
Pane a fette
Fontina
Sale

In una ciotola stemperare la farina con un po' d'acqua; unire il burro e lavorare il tutto. Portare a bollore circa 2 litri di acqua salata e versarvi l'impasto farinoso. Mescolare e lasciare cuocere per 10-15 minuti. Preparare in piatti fondi individuali fette di pane e listarelle di fontina. Scodellare la minestra e servire subito.

Può essere apportato un tocco d'attualità con un po' di parmigiano grattugiato.

Zuppa alla Fontina

Ingredienti:
Fette di pane raffermo
Fontina a fettine
Brodo di carne
Parmigiano grattugiato
Pepe
Sale

Disporre le fette di pane sul fondo di una teglia da forno. Coprire con fontina. Formare un altro strato di pane e uno di fontina. Cospargere il parmigiano; aggiungere il pepe macinato al momento; coprire a filo con il brodo e passare in forno per 10 minuti (180°) dopo avere aggiustato di sale (facendo attenzione che il brodo non sia già troppo saluto).

Insieme alla fontina si può mettere una toma più stagionata per ottenere un sapore più deciso.

Zuppa di pane di segale

Ingredienti:
Fette di pane di segale
Latte fresco
Burro
Fontina
Toma stagionata
Pepe

Sauich .i. pultes ordei.

Sauic. i. pultes. ordei. cplo. fri. z sic. i°. tperate decoctum. iuuam. cfert fluxui colico. nocum. gnat iflatioez. Remo. cum zucho. Qd gnat huore bonum. cuenit. ca. iuuenib; estate z ca. regionib;.

Zuppa d'orzo.

Noce moscata
Cannella
Brodo
Sale

Bagnare le fette di pane nel latte e sistemarle sul fondo imburrato di una teglia da forno. Coprire con fontina e toma e formare altri strati. Unire le spezie. Coprire a filo con brodo e infornare (180°) per dieci minuti.

Vediamo, qui di seguito, come tradizione e fantasia possono essere coniugate con sapienza per la nostra soddisfazione. La ricetta riunisce in piacevole armonia ingredienti antichi (fave, pane, fontina) e moderni (sugo di pomodoro) attorno a un elemento – la pasta – normalmente estraneo alla cultura culinaria valdostana.

La favò

Ingredienti per 6 persone:
300 g fave pulite
250 g pasta (ditaloni)
65 g di burro
50 g di pane nero tagliato a pezzettini
150 g di fontina tagliata a fettine
6 cucchiai di sugo di pomodoro fatto con soffritto di cipolla, carota, sedano, aglio, salvia e passato di pomodoro fresco.

Cuocere le fave per circa 1/4 d'ora. Cuocere la pasta e scolarla. Nella stessa pentola di cottura mettere i 6 cucchiai di sugo, la pasta, le fave e la fontina. Mescolare per 1 minuto. Unire il burro reso nocciola a cui è stato aggiunto il pane nero. Servire.

Ricetta dell'Albergo Ristorante "Bellevue" di Cogne.

Zuppa alla valpellinentze

Ingredienti:
Cavolo verza
Pancetta non affumicata (o lardo)
Burro
Fette di pane raffermo
Fette di fontina
Brodo (preferibilmente di carne)
Sale
Pepe

Pulire le verze delle coste più grosse e dure e passarle in padella con una noce di burro e la pancetta tritata. Lasciarle appassire a fuoco dolce. Sgocciolarle dell'eccesso di grasso. In una teglia da forno sistemare strati di pane, cavoli e fontina. Coprire a filo col brodo.

Aggiustare di sale e pepe e completare con qualche fiocchetto di burro. Mettere in forno caldo (180°) per 10 minuti.

Zuppa cognentze

Ingredienti:
300 g di riso
70 g di burro
1/2 bicchiere di vino bianco
Fontina a fette
Crostini di pane fritti nel burro
Cannella
Brodo
Sale
Pepe

In metà del burro tostare il riso e spruzzare il vino bianco.

Portare quasi a cottura col brodo. In una teglia da forno disporre strati di crostini, riso e fontina. Unire un po' di cannella (non troppa), aggiustare di sale e pepe e completare con fiocchetti di burro. Passare in forno (180°) per 10 minuti.

È curioso notare quella che può essere considerata la prima ricetta ufficiale della zuppa valpellinentze:; risale al 1766 e infatti è pubblicata ne *Il cuoco piemontese perfezionato a Parigi.*

La festa del pane

Da moltissimi anni in famiglia siamo abituati a rispettare l'appuntamento fissato per l'8 dicembre. È il giorno in cui a Lillaz, nei pressi di Cogne, inizia il rito della cottura del pane di segale.

Certo, la farina non è più quella di una volta. Quasi nessuno, ormai, coltiva questo cereale. Ma il ritrovarsi per il rito della panificazione costituisce un'occasione di festa. Il forno comune – ci sono ventitré proprietari – è a breve distanza da una fontana. La struttura resta attiva fino a pochi giorni prima di Natale. Di solito, con l'impasto di una quarantina di chilogrammi di farina si ottengono 90 pani. Ogni famiglia, per il fabbisogno annuale, ne prepara almeno 250 forme.

Il pane profuma l'aria e mette l'allegria, con la sua fragranza.

Ritengo, tuttavia, che la fase più affascinante sia il gesto di "rescii lo foor", quando il forno, dopo un anno di letargo, deve essere "risvegliato". Occorre mettere la legna, controllare che bruci regolarmente. Sono attimi di intense emozioni: le stesse che provavo da ragazzo. Per me, il pane nero ha sempre un elevato valore simbolico. La tradizione, per fortuna, viene conservata in numerosi villaggi di montagna. Costituisce, del resto, un modo per prepararsi all'arrivo imminente dell'inverno. La gente rimaneva isolata per settimane e mesi. Le pagnotte, sistemate a essiccare sul ratelet, costituivano un'ottima scorta e una rassicurante visione.

Ricordo di Rodolfo Coquillard

Siligo.

Natur. f. 7 s. in 2°. melior ex ea. ꝯpleta bn̄ matura. Iuuamentũ. fran
git accuitatem humoꝝ. nocumẽt. patientib9 colicã 7 melancoli
am. remotio nocumẽti. cũ mixto frumento.

Segale.

Zuppa al formaggio in grasso e in magro

In magro voi farete un brodo di erbaggi, abbiate attenzione che per questa zuppa vi sono necessari più cavoli che altri erbaggi: quando sarà terminato e passato alla stamigna, mettetegli un poco di sale; prendete il piatto che dovete servire, il quale metterete al fuoco, poscia prendete una mezza libra di formaggio Piacentino o d'Aosta, raschiatene la metà e tagliando il resto in piccole fette mettete un po' di formaggio raschiato nel fondo del piatto con alcuni piccoli pezzi di butiro, coprite con pane tagliato fino, inoltre voi metterete una coperta di formaggio tagliato, dopo un'altra di pane da coprorsi con formaggio raschiato; rimettete un coperto di pane e finirete con il formaggio tagliato e con pezzetti di butiro: bagnate con parte del vostro brodo, facendo cuocer a fuoco lento infino a che vi sia una piccola crosta al fondo del piatto e non vi resti più brodo; prima di servire rimettetegli un po' di brodo e pepe rotto.

Questa zuppa in grasso voi la farete nella medesima maniera, servendovi di brodo grasso di cavoli: non ischiumate troppo il brodo e non mettetevi il butiro.

È particolarmente interessante rilevare la citazione per il "formaggio di Aosta", la fontina.

* * *

La questione è ricorrente: cosa significa, nei fatti, "mangiare leggero"? La cucina valdostana è "pesante".

Vale la pena ricordare una ferma presa di posizione del gastronomo Marco Guarnaschelli Gotti tratta dal settimanale Panorama del 4 gennaio 1987:

Il peso del pregiudizio

"Nel polverone di pseudoconcetti che aleggia da un paio d'anni sull'orizzonte della gastronomia italiana, nei congressi di dietologi che discutono su come vada condita la pasta e in quelli di gastronomi-

Caules onati

NAture c. i. ĩ. s. ĩ. 2°. Melius ex eis recentes cetrini. Iuuamentum aperiunt opilationes. Nocumentum uisceribus. Remotio nocumenti cum multo oleo.

Cavoli.

che inseguono una dieta cardioprotettiva, pare di poter intravedere gli scheletri di idee, diremmo, della nonna che tornano dalle rispettive sepolture: per esempio la nozione di cibo "pesante". Se un sedentario impiegato della Compagnia bancaria e commerciale, spinto dalla gola, avesse mangiato nel pranzo meridiano tre etti di una insalata di baccalà, patate e aglio concepita per i formidabili bisogni dei giganteschi "caravana", gli scaricatori del porto di Genova, e poi avesse sentito "pesantezza" di stomaco, si sarebbe potuto bollare quell'insalata come cibo "pesante"? Sì e no. Forse cento grammi non erano pesanti: questione, come spesso, di buon senso. Così, spiace dover constatare la persistenza di pregiudizi che hanno radiato dalle nostre tavole, temendone il "peso", preparazioni squisite.

È un destino che ha colpito, per esempio, una saporita minestra (o piatto unico) della Val d'Aosta, la "soeupa valpellinentze" (mi pare si scriva così nell'originale dialetto occitanico), ormai confinata nelle valli: eppure mangiandone una normale scodella (non venivo da imprese alpine e non ne avevo in progetto) a me tutto è andato benissimo. L'autore di questa zuppa era Fulvio Casale che col fratello Ugo gestisce il ristorante omonimo a Saint Christophe: un locale gradevole, dove l'attaccamento alla tradizione non si esprime soltanto nei legni lavorati alle pareti. Così la mocetta (o motzetta, il prosciutto di camoscio) è fra le migliori che possiate assaggiare, il curioso amuse gueule di pane, burro e miele è fatto con ingredienti da concorso, la carbonade è impeccabile, la fontina che si sposa alle carni e quelle più stagionate che potrete assaggiare dopo sono da premio, anche la polenta potrebbe essere la réclame della polenta. Cantina molto raffinata, frutto di estrema passione."

Soeupa valpellinentze

Per quattro persone, mondare e tagliare a strisce le fette di una grossa verza, metterle al fuoco in casseruola con 80 grammi di lardo tritato, farle prima appassire poi imbiondire. Disporre sul fondo di un'altra casseruola fette di pane casalingo (di farina integrale) arrostite, coprirle di strisce di verza, pepare bene, fare poi uno strato di fette di prosciutto, poi uno di fettine di fontina, e ricominciare col pane alternando gli strati. L'ultimo deve essere di fontina, che verrà guarnita con fiocchetti di burro: aggiungere brodo piuttosto concentrato (attenzione al sale) fino a coprire a filo, lasciando emergere l'ultimo strato. Infornare a calore medio per un'ora e un quarto circa.

* * *

Si propone assai gustosa anche la versione che della zuppa valpellinentze fornisce Vincenzo Buonassisi, con il prosciutto crudo e il tocco di sugo d'arrosto. È probabile che la ricetta sia stata suggerita al giornalista da un amico ristoratore.

Zuppa di valpelline

Ingredienti per 4 persone:
Mezzo cavolo verza, circa 500 g
Fontina della Valle d'Aosta g 150
Prosciutto crudo g 100
Lardo g 50
Burro g 50
Sugo d'arrosto
Pane casereccio
Ottimo brodo, circa un litro
Sale e pepe

Preparazione: circa 2 ore

Con la lama di un coltello, scaldata sopra la fiamma, tritate finemente il lardo su un tagliere e poi soffriggetelo a fuoco dolce in una larga padella. Mondate il cavolo verza eliminando le eventuali foglie esterne danneggiate e il torsolo, lavate le altre foglie, sgocciolatele bene, poi fatele appassire nel soffritto di lardo, salate poco. Lasciate cuocere finché la verza apparirà tenera e abbastanza colorita. Nel frattempo affettate il pane e mettetelo nel forno già caldo, oppure sotto il grill a tostare per qualche minuto; eliminate la crosticina alla fontina e tagliatela a fettine sottilissime. Preparate la zuppa in quattro piccoli recipienti individuali, possibilmente di terracotta: sistemate in ognuno una fetta di pane, insaporitela con poco sugo d'arrosto, quindi disponete uno strato di foglie di verza e aromatizzate con poco pepe. Proseguite stendendo ancora in ogni recipiente delle fette di prosciutto crudo, poi su queste adagiate delle fettine di fontina. Ricoprite con altro pane, insaporite con sugo d'arrosto e continuate alternando i vari strati finché avrete esaurito tutti gli ingredienti. Terminate coprendo il tutto con fontina e su queste deponete il burro a fiocchetti; versate infine in ogni recipiente tanto brodo da arrivare a coprire le fette di pane. Passate la zuppa nel forno già caldo (160°) e lasciatevela per circa un'ora; estraete le zuppierine dal forno quando vedrete che si sarà formata una bella crosticina dorata. Servite subito.

Si ha l'impressione – a volte – che la strozzatura tra Quincinetto e Pont Saint-Martin separi nettamente la zona piemontese e la Valle d'Aosta. L'ideale filo della continuità può passare anche attraverso una ricetta abbastanza semplice com'è quella fornita da Giovanni Vialardi:

Zuppa alla canavesana (tognaque)

Sfogliate, nettate, levate il tronco e la costa delle foglie d'una bella testa bianca di cavolo; tagliatela fina, ponetela entro a una casseruola con un ettogrammo di butirro, fatela cuocere d'un color biondo, e adagio, versatevi un brodo fatto di recente, e finitela di cuocere accanto al fuoco; e per chi piace si può mettere grosso come una noce di lardo, un poco d'aglio trito finissimo, e cotto insieme. Avrete del pane graticolato, o secco al forno di color dorato, mettetelo entro una zuppiera o piattello di maiolica o terraglia che resiste al fuoco, versatevi sopra la zuppa ben digrassata e spolverizzata di formaggio. Mettetela al forno caldo, affinché formi un bel color biondo sopra, e servitela.

A proposito delle versioni della Valpellinentze – tutte di irresistibile sapore – vediamo la seguente ricetta, dettata dall'esperienza di un gastronomo come l'avvocato Giovanni Goria, e il relativo commento: spiegano chiaramente come abbiano fondamento le tante, valide interpretazioni della famosa zuppa. Si capiscono, inoltre, le ragioni della stretta correlazione culinaria tra il Piemonte e la Valle d'Aosta.

Zuppa "mitonata" di pane, verze e fontina alla borghese

Prendete una *grissia* di pane di campagna raffermo (anche integrale se lo trovate) e tagliatela a fette spessotte e tonde. Passate queste fette – anche un po' disuguali – a tostare leggermente in fondo, strofinatele con un poco d'aglio e pennellatele parcamente con olio buono. Intanto avrete appena cotto in casseruola con lardo tritato e poco olio un intero cavolo verza, non troppo grosso, tagliuzzato a medie falde, comprese le foglie più esterne e più verdi, togliendo solo le costole più grosse; avrete preparato un pentolino di brodo (meglio se di carne, altrimenti di ortaggi e dadi), vari rametti di foglie di salvia e rosmarino e un piatto di sfoglie sottili di fontina valdostana.

Ora, in una teglia imburrata mettete uno strato di fette di pane tostato e agliato, disponetevi sopra fettine di fontina, qualche fiocchetto di burro, un cucchiaio di parmigiano e ricoprite tutto con un po' di foglie di cavolo verza; fate sopra un altro strato uguale, disponendo qua e là rametti di salvia e rosmarino, e poi altri strati fino ad arrivare a due o tre dita dalla sommità della teglia, tenendo conto che il pane gonfierà. Versate sul tutto il brodo in modo che bagni tutto il pane ma non avanzi del liquido. Terminate con fontina e burro e infornate in forno caldo per una quarantina di minuti.

Se la zuppa gratinerà un poco di sopra sarà più bella a presentarsi ma ricordate che i nostri vecchi la facevano anche sulla piccola fiamma lasciandola sobbollire a lungo ossia *mitunè*.

Questa zuppa è piuttosto di linea "borghese" (i contadini ai tempi..." della lesina" la facevano certo più povera), cioè come la si può fare oggi in casa e al ristorante, da offrire agli ospiti.

Tuttavia ne abbiamo trovato delle versioni anche più ricche e signorili, di solito in ambito torinese: là le fette di pane non erano strofinate d'aglio ma intinte in sugo d'arrosto (il cavallo di battaglia del '700 e dell'800!) e sopra il pane vi era uno strato di fettine di prosciutto crudo, prima del formaggio che talora era groviera o berna. Così facevano anche la zuppa di spinaci.

Minestra d'orzo (zuppa de gri)

Ingredienti:
1 kg di verdure di stagione
200 g d'orzo perlato
100 g di lardo tritato
Burro
Sale

Tagliare a pezzetti la verdura (cipolla, porro, carota, sedano, patate, e metterla a cuocere in abbondante acqua salata con il burro e il lardo. Si possono usare piselli e fagioli freschi o secchi (fatti rinvenire mettendoli in bagno la sera precedente). Dopo una buona mezz'ora versare l'orzo già ammollato in acqua e proseguire la cottura a fuoco dolce. C'è ancora chi, come una volta, preferisce sostituire il lardo con costine di maiale. Questa preparazione è molto simile alle minestre di ceci e costine ("cisrà", in Piemonte) di altre regioni.

Farinata di mais

Ingredienti:
Latte e acqua salata in pari misura
Farina di mais
Burro
Pane raffermo
Toma

Bollire l'acqua e il latte e versare la farina a pioggia come per la polenta; mescolare con cura. Quando l'impasto, non troppo denso, e quasi a cottura, aggiungere un po' di burro. Disporre i pezzi di pane raffermo in ciotole individuali; versare la farinata e completare con toma stagionata grattugiata.

Zuppa di cipolle

Ingredienti:
5-6 cipolle bianche
50 g di burro
Fette di pane integrale
Fontina
Sale e pepe
Brodo

In una padella non aderente fare appassire le cipolle tritate finemente in un po' di burro. In una pirofila sistemare le fette di pane e ricoprirle con le cipolle. Formare alcuni strati e terminare con fettine di fontina. Coprire a filo con brodo. Aggiustare di sale e pepe e infornare (200°) per 10-15 minuti.

Zuppa alla ueca

Ingredienti:
150 g di orzo perlato
2 fette di pancetta (oppure costine di maiale)
2 patate
2 zucchini
2 carote
1/2 cipolla
80 g di prosciutto crudo
Fette di pane di segale (o di pane integrale tostato)
Prezzemolo, basilico, 1 spicchio d'aglio tritati
2 cucchiai d'olio extravergine di oliva
Fontina
Burro

Fare bollire in acqua l'orzo e la pancetta (o le costine).

Con gli ortaggi, prima fatti soffriggere col prosciutto, preparare un bel minestrone non troppo liquido.

In una teglia da forno riunire l'orzo e il minestrone. Coprire con il pane e la fontina. Completare con il prezzemolo, il basilico e l'aglio. Irrorare a filo con l'olio e cospargere i fiocchetti di burro.

La ricetta è del vecchio "Cavallo Bianco" di Aosta dei fratelli Paolo e Franco Vai. È stata tra le prime a essere pubblicate sulla stampa nazionale negli anni settanta.

* * *

Seguendo i suggerimenti della cucina moderna gli ingredienti di una zuppa possono dare origine a un piatto completamente diverso:

Terrina di verdure con fonduta di pomodoro crudo

Ingredienti:

***Per la terrina*:**
200 g petto di pollo
50 g di mollica di pane
2 scalogni
2 albumi
60 g di panna
Pepe bianco macinato
4 bacche di ginepro
Un pizzico di mais
30 g di burro
Un pizzico di aglio
5 foglie di basilico
5 carciofi
7 asparagi
3 carote
4 zucchine
300 gr di funghi champignons

***Per la fonduta di pomodoro*:**
5 pomodori maturi
5 foglie di basilico

1 patata media bollita
Sale, pepe

Mettere tutti gli ingredienti in un frullatore ed emulsionare aggiungendo l'olio poco alla volta, passare al colino e tenere in caldo a bagnomaria.

Tagliare tutte le verdure e scottarle separatamente in acqua salata. Tagliare la carne in piccoli pezzi e metterla in una terrina di acciaio, aggiungere la mollica di pane tagliuzzata, l'albume leggermente battuto, 60 g di panna liquida, lo scalogno fatto sudare con una noce di burro, il pepe bianco, il ginepro e porre in frigorifero per 12 ore. Dopo tale tempo passare il tutto al tritacarne per due volte con il disco più fine, passare poi al mixer ottenendo una farcia liscia. Raffreddare la farcia tenendola a bagnomaria. Quando sarà ben lucida levarla dal ghiaccio e unire le verdure ben scolate e asciugate, amalgamando bene il tutto. Unire poi 200 g di panna montata, versare la farcia in una terrina imburrata, coprire e cuocere in forno a bagnomaria per 35 minuti a 180°.

Lasciare intiepidire la terrina, tagliare e servire con accanto la fonduta di pomodoro.

Ricetta di Alfio Fascendini del ristorante "Vecchio Ristoro" di Aosta.

* * *

Zuppa d'orzo

Ingredienti:
350 g di orzo perlato
Costine di maiale
2 fettine di pancetta
3 patate
Cipolla, sedano, carota
1/2 porro
Sale e pepe
Brodo

Oggetti valdostani. (Collezione Graziano Pozzetto)

Mettere a bagno l'orzo in acqua fredda per qualche ora; poi portare a bollore e scolare. Unire l'orzo agli altri ingredienti e fare sobbollire nel brodo per un paio d'ore. Nel caso, aggiungere altro brodo. Aggiustare di sale e pepe. Il brodo può essere sostituito dall'acqua.

Skilà (zuppa dei pastori)

Ingredienti:
4 patate di montagna
1 cipolla
1 porro
Aglio
1 costa di sedano
Pane di segale
Toma e fontina
Sale e pepe

Mettere a bollire le patate spellate e tagliate a pezzi, il porro a rondelle, il sedano e l'aglio in abbondante acqua salata. Portare a cottura (circa 45 minuti). Nelle scodelle individuali sistemare fette di pane di segale e i formaggi tagliati a cubetti. Versare la zuppa, aggiustare di pepe.

Tortino di patate e porri con fonduta valdostana

Ingredienti:
200 g di patate bollite
200 g di porri stufati
2 uova
80 g di panna
Sale, pepe e noce moscata
300 g di fontina
250 g di latte
3 tuorli

Passare al setaccio le patate, unirvi i tuorli, la panna, il sale, pepe, noce moscata e i porri stufati. Amalgamare bene il tutto, montare gli albumi a neve e incorporarli all'impasto. Imburrare sei stampini da 1 decilitro, riempirli con l'impasto di patate e porli in forno a bagnomaria per 20 minuti a 180°.

Togliere dagli stampi i tortini e disporli al centro del piatto, nappare con la fonduta ben calda e servire.

Ricetta di Alfio Fascendini del ristorante "Vecchio ristoro" di Aosta.

* * *

Cotica con i fagioli

Ingredienti:
400 g di cotica di maiale
2 spicchi d'aglio
Rosmarino, salvia, alloro
Noce moscata, cannella
Sale, pepe
1/2 cipolla

1/2 carota
1/2 sedano
300 g di fagioli borlotti secchi fatti rinvenire

Pulire bene la cotica (o eventualmente fiammeggiarla all'esterno), porla in un vassoio e cospargerla con il tritato di aglio, salvia, rosmarino e spezie; salare e arrotolare. Legare la cotica come un arrosto. Sistemarla in una pentola con i fagioli e acqua e cuocere a fuoco dolce per circa un'ora e mezzo. Aggiustare di sale.

Tagliare a fettine la cotica e servire con i fagioli.

Simile a quella in uso in altre regioni italiane, questa ricetta è diffusa nella valle del Gran San Bernardo. A Bosses, infatti, venivano allevati i maiali per ottenere i famosi prosciutti. È curioso rilevare come, negli anni cinquanta, i provveditori della compagnia di navigazione dei Costa di Genova acquistavano a Saint-Marcel i fagioli per i transatlantici.

I tributi di Cogne al Vescovo di Aosta

Così come accadeva per i suoi colleghi di altre regioni italiane, il Vescovo di Aosta aveva il diritto di esercitare il potere temporale sui centri della diocesi già nel XII secolo. A Cogne, per esempio, operava un delegato che sbrigava tutte le pratiche di ordinaria amministrazione. In particolari occasioni, tuttavia, il Vescovo si presentava personalmente per fare valere la sua autorità e riscuotere speciali tributi. La Sogne, appositamente convocata, era la riunione obbligatoria di tutti i capifamiglia. Nell'esauriente e piacevole guida *Cogne e la sua valle* è riportato un elenco dei doveri della popolazione locale:

"I Cogneins erano tenuti, in quei giorni, a fornire al Vescovo e al suo seguito sette pasti abbondanti, vino e illuminazione, oltre al foraggio per i cavalli e all'assistenza. Il vescovo dirimeva, durante la Sogne, le controversie sorte tra i singoli abitanti e tra le diverse frazioni, discuteva i suoi rapporti con la comunità e passava sotto giudizio anche cause criminali. Ogni anno, i sudditi gli dovevano 15 montoni nel giorno di San Giovanni Battista; 85 formaggi, nel giorno dei Santi; 10 moggi di segala e 29 formaggi a San Martino, l'11 novembre; 16 sestieri d'orzo, 32 spalle di maiale e 64 pani 'aburatati' (cioè fatti con buona farina separata dalla crusca) alla fine dell'anno. Ancora, a ogni elezione di un nuovo vescovo gli si dovevano versare 100 soldi e altri 100 quando andava a Roma per la prima volta. Infine, quando veniva avvistato un orso, tutti dovevano partecipare alle battute di caccia per ucciderlo: le zampe, la testa, le budella, la pelle e parte della carne spettavano al vescovo, così come gli toccava una parte di ogni stambecco ucciso. Il vescovo forniva d'abitudine un pasto agli uomini di Cogne e ai suoi mistraux (ufficiali) che gli portavano ad Aosta i beni in natura a lui dovuti, nel giorno di San Martino e il primo lunedì dopo Santo Stefano. Il dominio del signore ecclesiastico era comunque, nel complesso, assai più mite di quello dei signori laici dello stesso periodo in Valle d'Aosta".

Patate gratinate alla pancetta e fontina

Ingredienti:
4 patate
Burro
Fontina
100 g di pancetta
Brodo
Sale e pepe

Pulire le patate e tagliarle a fettine; metterle sul fondo imburrato di una teglia da forno o di una pirofila e coprirle a filo con brodo. Passare in forno (180°) per circa mezz'ora. Ritirarle e cospargerle con striscioline di pancetta e fontina. Pepare, aggiustare di sale e rimettere in forno per 10 minuti.

Patate in padella

Ingredienti:
Patate
Cipolla
Porro
Burro
Sale

Lavare le patate e cuocerle con la pelle. Pulirle e tagliarle a fettine. In una padella fare appassire la cipolla e il porro tritati in un poco di burro. Unire le patate e rosolarle bene aggiustando di sale.

Minestra di castagne e farina di mais

Ingredienti:
Castagne secche
Acqua
Latte
Farina di mais
Burro
Pane di segale
Fontina (o toma)

Mettere a bagno le castagne secche per una notte. Farle bollire in acqua salata fino a cottura. Versare il latte (tanto quanto l'acqua di cottura) e lasciare al fuoco; mescolare e aggiungere la farina a pioggia per evitare grumi. Dopo circa un quarto d'ora unire un ricciolo di burro. Mescolare bene e servire in piatti fondi individuali contenenti il pane tagliato a pezzetti e fontina, o toma, a listarelle.

Minestra di castagne

Cuocere le castagne secche in abbondante acqua salata, insieme a un pezzetto di lardo. Versare il latte, in pari quantità con l'acqua di cottura, e un po' di burro. Lasciare al fuoco, a fiamma dolcissima, facendo addensare la minestra. Servire ben calda.

Pernici.

Pane nero con le castagne

Per evidenti ragioni climatiche, i castagneti vennero impiantati nella Bassa Valle e negli imbocchi più soleggiati delle valli laterali. Tuttora le castagne sono servite con lardo, burro e affettati, nell'antipasto, presso i ristoranti tipici. È strano notare come, nella Valle d'Aosta, sia maggiormente diffuso il consumo dei frutti piuttosto che delle farine.

Nelle regioni appenniniche, invece, avviene generalmente il contrario. Pensiamo, ad esempio, a torte, pani, frittelle e castagnacci di Liguria e Toscana.

I motivi potrebbero essere essenzialmente pratici: la maggiore conservabilità dei frutti rispetto alla farina – soprattutto alle basse temperatura invernali valdostane – e la mancanza di mulini ad acqua per l'impetuosità dei torrenti.

Per il pane, impastare con acqua, sale e strutto le farine di segale e di frumento. Aggiungere il lievito e incorporare le castagne secche cotte in acqua salata. Ottenere un composto abbastanza elastico e porlo a lievitare prima di cuocerlo in forno.

Castagne al burro

Cuocere le castagne secche in abbondante acqua salata con l'aggiunta di qualche fettina di lardo di Arnad al quale spetta il compito di renderle più morbide. Scolarle e servirle – meglio se calde o tiepide – con riccioli di burro da spalmare su fettine di pane nero.

·Porri·

Porri. cplo. ca. in 3. sic in 2. Electio naptici. l. montani acuti. Iuvamentum, provocant urinam. ad dunt in coytu. et cum melle mundificat pect. a catarris. Nocumentum cerebro et sensib. Remo noc. cum olo sisamino aut amigdalarum dulcium. Quid generant sanguinem ad usum et colericam acutam. Conveniunt mag. fris. senectuti. hyeme. septentrionalib.

Porri.

Il riso

Il riso nella cucina valdostana

In alcune zone della Valle d'Aosta l'impiego del riso è abbastanza familiare. Non dimentichiamoci, intanto, che una volta Aosta era una provincia del Piemonte.
All'inizio della primavera, prima che iniziasse il pascolo negli alpeggi, e in autunno i valdostani si recavano nel Canavese e in altri luoghi della regione piemontese per concludere acquisti e scambi commerciali. Il riso poteva essere trasportato facilmente anche attraverso i percorsi più impervi e aveva il vantaggio di un'ottima resa alimentare. Un notevole contributo alla sua diffusione valdostana fu dato, in Val di Cogne, dai minatori giunti dalla Lombardia e da altre regioni.

Il riso, dunque, entra a buon diritto nelle abitudini locali trasformando la zuppa della Valpelline nella zuppa di Cogne grazie alla sola aggiunta di un pugno di chicchi. Può essere utile sottolineare come il riso, inoltre, forse perché elemento appartenente a una cultura alimentare lontana, godesse di una solida reputazione. Nel *Cuoco piemontese perfezionato a Parigi*, non a caso, figura la ricetta per una pozione medicamentosa.

Crema di riso per i convalescenti

Prendete tre oncie di riso mondato e ben lavato in acqua tiepida, mettetelo a cuocere in brodo grasso; allorché sarà cotto e alquanto consistente, ammaccatelo con un cucchiaio e fatelo passare nella stamigna e fregatelo forte con un cucchiaio di legno; aggiungendovi di tanto in tanto un poco di brodo caldo per aiutare a farlo passare; servitelo della spessezza di una crema doppia.

Minestra di riso e rape

Ingredienti:
300 g di riso
3 rape
50 g di burro
Brodo
Sale

Tagliare a fettine sottili le rape e rosolarle nel burro. Mescolare bene e aggiungere il riso. Cominciare a bagnare col brodo e portare a cottura dopo avere aggiustato di sale.

Riso in prigione

Ingredienti:
1,5 l d'acqua
1/2 l di latte
3 cucchiai di farina di frumento
150 g di riso
1 noce di burro
Sale

All'acqua salata unire il latte e fare bollire; versare la farina a pioggia e mescolare con cura per circa 15 minuti. Aggiungere il riso e portare a cottura. Completare col burro e servire in piatti individuali ben caldi.

Risotto

Ingredienti:
300 g di riso
1/2 cipolla

1/2 bicchiere di vino bianco
40 g di burro
Brodo di carne
Sale e pepe
Fontina
Qualche fiocchetto di burro

Fare sudare la cipolla con il burro e tostare il riso. Bagnare col vino bianco e portare a cottura col brodo. Unire la fontina tagliata a listarelle e 2 cucchiai di brodo; aggiustare di sale e pepe. Completare con pochi fiocchetti di burro. Lasciare riposare e servire.

Risotto alla zucca

Ingredienti:
400 g di zucca ben gialla (già pulita)
1/2 cipolla tritata
40 g di burro
300 g di riso
Fontina
Brodo di carne

Fare sudare la cipolla nel burro e rosolare la zucca tagliata a pezzetti. Mescolare e cuocere per circa 10 minuti. Bagnare col brodo e unire il riso. Portare a cottura con altro brodo. Unire la fontina a piccole listarelle. Lasciare riposare qualche secondo e servire in piatti individuali ben caldi.

Zuppa di ortiche, patate e riso

Ingredienti:
300 g di riso
40 g di burro
2 patate
Una manciata di foglie d'ortica
Sale e pepe
Brodo

Tostare il riso con il burro e la cipolla tritata finemente. Unire le patate (spellate e lavate) tagliate a cubetti. Farle colorire bene. Aggiungere l'ortica (ben lavata in acqua corrente) e cominciare a versare il brodo. Aggiustare di sale e pepe e portare a cottura.

Fessilsuppu

Ingredienti:
400 g di fagioli borlotti
400 g di riso
Toma
Burro
Sale

Cuocere i fagioli in abbondante acqua salata. Unire il riso e portare tutto a cottura. Ungere il fondo di una teglia da forno o di una pirofila e disporre strati di riso e fagioli e di fettine di toma. Completare l'ultimo strato di formaggio con fiocchetti di burro e passare in forno.

Ricetta raccolta da Luciana Faletto Landi a Issime.

Riso e castagne secche

Ingredienti:
200 g di castagne secche
2 litri di latte
250 g di riso
Burro
Sale

Lasciare a bagno in acqua le castagne per una notte. Pulirle da eventuali residue pellicine. Portarle a bollore con altra acqua salata. Cominciare a scaldare il latte. Sgocciolare le castagne e metterle nella pentola del latte. Fare cuocere lentamente controllando di tanto in tanto la consistenza delle castagne. Quando sono quasi pronte, versare il riso. Poco prima di togliere dal fuoco per servire aggiungere qualche ricciolo di burro.

Preparazioni simili si riscontrano pure in altre regioni italiane non solo alpine, ma anche appenniniche. Le castagne sono spesso associate all'alloro e al lardo. Alcuni aggiungono alla ricetta zucchero e cannella.

Minestra di patate e porri

Ingredienti:
2 porri
2 patate
Burro
Brodo
Fontina o toma
Sale e pepe
320 g di riso

Sul fondo di una pentola fare rosolare i porri tagliati a rondelle e le patate ridotte a tocchetti. Versare il brodo e cuocere per circa mezz'ora. Quando le patate sono quasi pronte, unire il riso e completare la cottura. Aggiustare di sale e pepe e scodellare in piatti individuali con fettine di formaggio.

Lardo, mocetta e salumi

Il lardo

Il particolare microclima della Bassa Valle e gli speciali profumi delle erbe di montagna contribuiscono a dare origine alle straordinarie caratteristiche organolettiche del lardo valdostano, unanimemente conosciuto come "il lardo di Arnad". La gente lo ha sempre usato come preziosa fonte di energia per i mesi invernali, insieme alla carne salata e ai formaggi. L'assenza di vasi sanguigni e il trattamento in salamoia, infatti, ne favoriscono la stagionatura. Per il suo candore il lardo godeva, anche in tempi antichi, di una solida reputazione: qualcuno lo considerava addirittura medicamentoso.

In cucina, inoltre, era utilizzato come base per il soffritto, con l'aglio e la cipolla, per dare sostanza alle zuppe e alle carni. Era formidabile con il pane appena scaldato.

Il lardo rappresenta la parte adiposa attaccata alla cotenna mentre il grasso più interno, a contatto con la carne, è più adatto per ricavarne lo strutto. Il valore commerciale e gastronomico è dato dallo spessore, che deve assolutamente essere tra i 4,5 e i 5 centimetri. Per questo i tagli dorsali dei suini devono provenire da esemplari del peso prossimo ai 2 quintali. I vantaggi di una simile pezzatura sono evidenti al momento del consumo, dopo almeno tre mesi di stagionatura. Un affinamento più lungo dà maggiore finezza al prodotto.

Durante il riposo nei recipienti – una volta in legno, oggi in plastica per motivi igienici – il lardo subisce un lento processo di modificazione di tipo osmotico: cede i propri umori e assume gli aromi della salamoia.

In epoche passate, i suini erano allevati a ghiande e castagne e un modo assai efficace per integrare la loro alimentazione, negli alpeggi, era dato dal siero di scarto della lavorazione della fontina. Nonostante la prevenzione moderna circa i grassi e il colesterolo, mai è venuto meno il favore per il lardo di Arnad (e di Colonnata, sulle Alpi Apuane, in provincia di Massa Carrara). Il motivo costituisce un piacevole mistero la cui soluzione non importa granché. Nei ristoranti della Valle d'Aosta, come in famiglia, le bianchissime fettine sono solitamente unite alla mocetta, al prosciutto di Bosses, alle salsicce e ai boudins, alle castagne bollite e alle noci, con pane di segale o pane integrale.

Già il Vialardi dava precise indicazioni sui metodi migliori per la salagione.

Conservazione delle carni con il sale

Il sale comune siccome antiputrido, s'impiega vantaggiosamente onde preservare gli alimenti da una decomposizione spontanea o putrefazione delle sostanze animali; ma lasciando le carni lungo tempo nella salagione, perdono un po' della loro proprietà e divengono verdastre, perciò si aggiunge un po' di salnitro, il quale li rende d'un rosso scarlatto, benché esse nulla guadagnino, anzi deteriorino. Si può mettere un poco di cocciniglia schiacciata e un poco di nitro. Così pure si fa per ogni sorta di volaglia, oche, selvaggina, vitello, montone. La dose è: 1 kg di carne, 2 hg di sale, 15 g di salnitro, e delle droghe intiere, lasciandola circa 14 giorni, e rivolgendola di tanto in tanto, e allora si chiama allo scarlatto, come il bue al n. 4 (V. art. 6). Volendo soltanto conservare la carne qualche giorno nell'estate, si frega bene con sale grigio ben secco e pestato, messa in una pignatta di terra di giusta sua misura, coperta con sale sopra, e rivolta soventi, con un peso sopra, onde stia nel liquido che getta, lavata e dissalata a grand'acqua, fatela cuocere come se fosse fresca.

Salagione del lardo o ventresca

Appena levato il lardo del maiale, tagliato a pezzi o intero, si frega bene di sale grigio seccato e pesto grossolanamente, posto un pezzo l'uno sopra l'altro entro un mastello, con un abbondante strato di sale tra mezzo, e un'asse sopra con un grosso peso, e un buco al fondo del mastello onde lasciare scolar l'acqua. Lasciatelo così per 25 giorni circa, levatelo, attaccatelo, sospendendolo in aria che non si tocchi un pezzo con l'altro, in un luogo secco e fresco.

La mocetta

Fino dall'antichità la salagione è sempre stata una delle maniere più efficaci per la conservazione delle carni e di altri alimenti. Nelle Valli d'Aosta il problema ha assunto valenze di enorme interesse a causa del clima. Pensiamo ai lunghi inverni, alle vie di comunicazione bloccate dalle continue nevicate, all'impossibilità di approvvigionarsi di ingredienti freschi. Il sale, dunque, era una delle principali risorse. Era indispensabile per le fontine, le tome e per le carni. Il freddo naturale, inoltre, ne era il complemento più adatto. Sappiamo della carbonade: non le è da meno l'appetitosa mocetta, oggi componente insostituibile dell'antipasto valdostano.

In principio era ottenuta con la coscia disossata degli stambecchi. Doveva essere una prelibatezza se venivano tenuti gli zoccoli per garantirne la provenienza. Forse era una questione di bracconaggio. Subito dopo l'attenzione dei gastronomi era rivolta alla mocetta di camoscio e, successivamente, a quella di capra. Attualmente, sono in commercio mocette di camoscio e di carni equine e, più diffusamente, per comodità, bovine; il metodo di preparazione è lo stesso.

Un procedimento per la mocetta

Nel caso di carne bovina, prendere pezzi di magro del peso di circa 1 kg e metterli in un recipiente con sale grosso, alloro, salvia, spicchi d'aglio e pepe sufficienti a ricoprirli. Riporli al fresco mantenendoli sotto un peso. Verificare che nel giro di almeno un paio di giorni si formi una sorta di salamoia nella quale mantenere le mocette per due settimane. In seguito la carne deve asciugare. Una volta era appesa in un luogo arieggiato per oltre un mese e diventava secca quasi si trattasse di uno stoccafisso.

Le virtù della mocetta vennero rimarcate incondizionatamente dalla guida del Touring del 1931: "Mocetta, cosce di capra, becco, camoscio, e stambecco, messe in salamoia con aromi e quindi seccate all'aria: affettate finemente formano un antipasto gustoso. È uso tutto piemontese di invitare gli amici a bere in cantina (la crota); e in Val d'Aosta ha in queste adunate potatorie la funzione di stimolante al bere".

Sembra che le prime mocette di stambecco e camoscio siano state preparate in Val di Cogne, nella Valgrisanche e in Valsavarenche, dove tuttora è possibile ammirare numerosi esemplari di quegli animali che popolano gli anfratti dello stupendo parco nazionale del Gran Paradiso. Erano, quelle, le zone del "Paradiso" di caccia dei Savoia.

Le rigorose norme igieniche in vigore esigono che la fase di essiccamento avvenga in celle attrezzate. I doil in legno, i recipienti dove avveniva la salagione, simili alle conche di marmo di Carrara per il lardo, sono stati sostituiti da contenitori di plastica. Il fascino, insomma, non è più lo stesso. Ma la mocetta è pur sempre un cibo eccellente. Le piccole fettine di carne scura possono essere sistemate con ordine sul vassoio di portata e servite con lardo, salamini e boudins.

Crostini alla mocetta

Spalmare del miele o del burro su fette di pane di segale o di pane integrale e sistemare le fettine di mocetta. Decorare con un ciuffetto di prezzemolo.

Oggetti valdostani per i boudins. (Collezione Graziano Pozzetto)

Carpaccio di mocetta

In pratica la mocetta può essere trattata come la bresaola o il prosciutto crudo. È normale, dunque, che si pensi a elaborazioni di fantasia per esaltarne le caratteristiche.

Sul fondo di un vassoio adagiare dell'insalatina fresca tagliata molto sottile. Salare con moderazione e irrorare con olio d'oliva. Coprire con fettine di mocetta. Cospargere fettine di fontina stagionata. Mettere un po' di pepe. Irrorare con altro olio d'oliva e completare con prezzemolo tritato e lamelle di tartufo bianco. Lasciare riposare qualche minuto prima di servire.

Di seguito proviamo a pensare alla mocetta con un pizzico di fantasia. Le varianti sono infinite.

Mocetta ai funghi

Emulsionare olio extravergine di oliva con qualche goccia di limone e aggiungere un mezzo spicchio d'aglio e un ciuffetto di prezzemolo tritati. Aggiustare di sale e pepe. Sistemare le fettine di mocetta nel vassoio e irrorarle con la salsina. Con il tagliatartufi, tagliare a fettine cappelle di piccoli porcini o di ovoli. Completare con la salsa rimanente e lasciare riposare qualche minuto.

Crostini con caprino fresco e mocetta

Spalmare il formaggio fresco su crostini di pane. Sistemare le fettine di mocetta e cospargerle con olivette nere tritate (a mo' di caviale).

Panino caldo con fontina e mocetta

Tagliare a fettine sottili un pomodoro non troppo maturo. Sistemare in un vassoio con olio extravergine di oliva, pepe, sale e foglioline di basilico. Spalmare della robiola su due fette di pane e coprirle con fette di fontina. Mettere in forno caldo per 5 minuti. Ritirare dal forno e farcire il panino con il pomodoro e la mocetta tagliata a fettine sottili. Premere le fette di pane e infornare ancora per 2 minuti.

Mocetta finocchio e formaggio

Sul fondo di un vassoio sistemare le fettine sottilissime di finocchio crudo. Irrorare con olio extravergine di oliva. Salare leggermente. Coprire con fettine di mocetta. Aggiustare di pepe e versare ancora dell'olio. Completare con lamelle di parmigiano-reggiano tagliate col tagliatartufi. Completare con un ciuffetto di prezzemolo e lasciare riposare qualche minuto prima di servire.

* * *

Sanguinacci

I sanguinacci valdostani sono molto differenti da quelli conosciuti in altre regioni. Nella loro composizione, infatti, entrano patate e barbabietole, lardo e spezie, oltre al sangue (che può essere di maiale o di mucca). Inoltre, ci possono essere varianti da valle a valle, da famiglia a famiglia. Un tempo, le differenze erano provocate soprattutto dalla disponibilità degli ingredienti come lo zucchero, merce rara in alcuni luoghi impervi durante i mesi invernali (tempo di macellazione dei suini). In ogni caso i sanguinacci – i boudins – sono impiegati quali antipasti insieme a mocetta, lardo e prosciutto.

Tetteta

La tetetta (o tetteta) è la mammella delle mucche. Viene dapprima strizzata per liberarla dei residui del latte. Poi è messa in un recipiente con sale ed erbe come nel caso della mocetta. Dopo alcuni giorni si forma una salamoia che deve coprirla completamente. Trascorse un paio di settimane la tetetta è appesa al fresco a essiccare. In seguito a bollitura è tagliata a fettine e consumata come antipasto.

La fiera di Sant'Orso

Il più antico documento ufficiale risale al 1243, ma è opinione comune che la fiera di Sant'Orso si svolga da circa mille anni. Il 30 e il 31 gennaio, indipendentemente dalle condizioni atmosferiche, le vie del centro storico sono affollate da migliaia e migliaia di persone che arrivano ad Aosta da tutta la valle e dalla Francia e dalla Svizzera. Il perché di tanto interesse, che fa della fiera di Sant'Orso una delle manifestazioni popolari più importanti in assoluto non solo il Italia, è forse legato agli stessi motivi della sua origine economica e religiosa.

Alcuni storici affermano che una volta venissero distribuite le calzature ai poveri – i sabots. Altri sostengono la tesi della natura prevalentemente commerciale dell'appuntamento annuale. In pratica, le giornate cominciavano ad allungarsi, si intuivano i segni della fine imminente dell'inverno. I montanari scendevano in città per vendere gli oggetti artigianali eseguiti nella solitudine dei mesi più freddi, per acquistare arnesi da lavoro e, soprattutto, sale. Sale per conservare le carni e i formaggi.

Risulta pressoché impossibile stilare un inventario della merce esposta. Si va dalle grolle agli utensili da cucina, dal caratteristico tagliapane – il copapan – per frantumare il pane di segale indurito dal tempo, agli zoccoli, dalle rastrelliere per conservare i pani alle zangole per il burro. Alle Porte Pretorie si trovano tuttora botti e botticelle per il vino e la grappa. Poi, ceste, sculture, simboli religiosi, capi di lana della Valgrisanche, pizzi e merletti di Cogne, la pietra ollare, il ferro battuto.

Non mancavano, secoli addietro, gli unguenti miracolosi ricavati dagli umori di animali quali la marmotta, lo stambecco o l'asino e dalle resine delle piante di alta montagna. L'animazione, nelle vie e nelle piazze del centro di Aosta, si fa sempre più intensa a partire già dalle prime luci dell'alba del 30 gennaio, il giorno solitamente riservato alla presa di contatto, alla contrattazione tra venditori e acquirenti.

Il 31, invece, si concludono gli affari. Attorno, si annusa l'odore acre delle caldarroste da accompagnare con generosi e fumanti porzioni di vin brulé. Il 1° febbraio, ricorrenza di Sant'Orso, tutto tace, e la città è come avvolta in una coltre di strana atmosfera.

Gnocchi di grano saraceno allo speck

Ingredienti:
1 kg di patate
200 g di farina bianca
150 g di farina di grano saraceno
Burro

Speck
1 ciuffetto di prezzemolo
Timo
Maggiorana
Cannella
Pepe
Sale

Preparare gli gnocchi con le patate e le farine nel modo consueto. Cuocerli rapidamente in abbondante acqua salata. In una padella rosolare nel burro lo speck tagliato a cubetti o a listarelle evitando bruciacchiature. Eliminare l'eventuale eccesso di grasso. Unire gli gnocchi scolati e completare con le spezie e le erbette. Mescolare e servire dopo qualche secondo.

Ricetta della Valle del Lys.

La presenza dello speck richiama immediatamente la tradizione tedesca.

Il piatto, tipico di Gressoney, si chiama (in walser) "speck und chnolle". Oltre alla ricetta ricordata, possono essercene altre con varianti casalinghe (allo speck, infatti, si aggiungono lardo, salsicce e sanguinacci).

Agnolotti ai sanguinacci e patate

Ingredienti:
Ricetta per 4 persone
500 g di pasta all'uovo

Ripieno:
200 g di sanguinacci
150 g di patate bollite
100 g di parmigiano
Noce moscata
Sale, pepe

Salsa:
Burro e parmigiano emulsionati con frullatore con un poco di acqua

Passare gli ingredienti del ripieno nel tritacarne. Impastare e stendere la sfoglia di pasta. Dividere il ripieno in palline e porle sulla sfoglia nel modo consueto. Ricoprire con un altro strato di pasta. Ritagliare gli agnolotti in forma quadrata. Cuocerli, scolarli e condirli con la salsa al parmigiano. Decorare con un ciuffo di prezzemolo.

Ricetta di Alfio Fascendini del ristorante Vecchio Ristoro di Aosta.

La carbonata e le carni

Quando si parla di "carbonade" o "carbonata" si pensa a una classica preparazione valdostana. In effetti la ricetta, con le possibili varianti, viene normalmente proposta in tutti i ristoranti più o meno tipici della valle. È molto probabile, però, che la sua origine risalga all'antica Roma, come molti dei più importanti monumenti della regione quali l'Anfiteatro e la Porta Pretoria di Aosta. Già i romani, appunto, erano esperti nell'arte di conservare le carni col sale e le spezie e le erbe. Inoltre, sapevano perfettamente come farle essiccare e affumicare. Questo perché la carne potesse essere facilmente trasportata durante i lunghi viaggi di trasferimento dei soldati o accantonata – negli appositi magazzini denominati "carnaria" – in attesa dei momenti della distribuzione al popolo.

I contenitori, quando i singoli pezzi di carne non venivano appesi al soffitto, potevano essere pure piccoli recipienti di pietra o di marmo. In una società di impronta prevalentemente agricola e pastorale, è molto probabile che la carne fosse macellata all'inizio dell'inverno per garantire l'approvvigionamento di un cibo così importante nel corso della cattiva stagione (allorché la terra non produce frutti). Tecniche ed esigenze economico-alimentari sembrano modellate su misura per i montanari valdostani.

Una volta i capi bovini erano riservati al traino dei carri e dell'aratro; i muscoli indurivano, la carne diventava nodosa. Di conseguenza, l'unica maniera efficace per cucinarla consisteva nella bollitura preventiva. Si otteneva così il brodo necessario per le zuppe, mentre la carne poteva essere fritta o arrostita.

C'è chi sostiene che "carbonade" derivi dal fatto che i carbonai usassero portare con sé pezzi di carne per sfamarsi sul lavoro, nelle foreste. Altri vogliono il nome legato al colore scuro dell'intingolo di cottura. È curioso rilevare che elaborazioni simili alla ricetta valdostana siano altrettanto popolari in Spagna e in Belgio. Un autorevole maestro come Auguste Escoffier ha avvertito addirittura il dovere di codificarla nella sua Guida *alla grande cucina.*

Carbonata alla fiamminga

Tagliare a fettine sottili e corte 1 chilo circa di carne magra di manzo ("piccione", girello o paletta di spalla). Salare e pepare; far prendere colore a fuoco brillante in un buon grasso chiarificato. A parte, far imbiondire leggermente al burro 5 grosse cipolle affettate.

Mettere in una casseruola fette di carne e cipolla, a strati alternati, mettendo nel mezzo un mazzetto guarnito.

Deglassare la sauteuse con il contenuto in una bottiglia di birra (Lambic invecchiata, preferibilmente); aggiungere la stessa quantità di fondo bruno; legare con 100 g di roux bruno, completare con 50 g di cassonata o di zucchero in polvere, versare la salsa sulla carne e le cipolle. Coprire e far cuocere a fuoco lento in forno per 2 ore e mezzo-3 ore.

Le carbonate si servono generalmente con le cipolle, ma alcuni preferiscono che la cipolla sia passata alla stamigna.

* * *

Le indicazioni circa gli ingredienti fanno capire che pure in Valle d'Aosta esistano versioni che prevedono l'impiego di birra acida, aceto e zucchero. Gli elementi in comune, oggi, famiglia per famiglia, ristorante per ristorante, sono il burro, la cipolla, le spezie e il velo di farina sulla carne. Già sul colore del vino – bianco o rosso? – non c'è accordo. Entrambi conferiscono il tocco di vivacità, ma è banale osservare come possa essere differente il risultato cromatico finale. Nessun dubbio, però, sul colore del vino utilizzato per la carbonata assaggiata da Paolo Monelli, il ghiottone errante, in un giorno di giugno del 1935 (senza trascurare l'ipotesi che potesse trattarsi di una carne resa eccessivamente scura dalla stagionatura):

"La carbonata comparve, spezzatino di manzo in una salsa violacea. Aveva il colore delle ceneri del Vesuvio, la tristezza delle nuvole perse; pareva ci avessero versato dentro una bottiglietta d'inchiostro ordinario. Esitammo; come esitai a Napoli davanti a certi bruttissimi frutti di mare che, aperti, c'incantarono poi per la loro rosea delicatezza; come si esita a Venezia davanti al riso nero di calamari. Poi ci tuffammo. E la carbonata si rivelò sapidissima cosa, intrisa in cipolla e vino cotto e farina e non so quanti sapori di pascolo. Mangiammo con impegno; e ci dava il tempo un vino onesto e colorato. Poi ci rinverginò la bocca di liquore fatto con l'Artemisia glacialis, il genepì; e c'invase un tepore di sole come fossimo sdraiati sul prato sotto il nevaio, risentimmo il gusto della terra umida, delle erbe alpine, della neve di primavera. Genepì, liquore dei vecchi alpinisti, quasi quasi per te rinnegammo la grappa".

Nel 1931, la prima edizione della *Guida gastronomica d'Italia* del Touring club dava, nel paragrafo "Piatti di cucina e dolci" relativo alla provincia di Aosta (ancora piemontese), la stringata, puntuale indicazione sulla carbonade: "spezzatino di manzo sotto sale; la carne tagliata a dadi è fritta al burro, con cipolle, farina e vino pastoso e la si serve con polenta". La carne, adesso, può essere a listarelle, a fettine, a bocconcini. Le patate, bollite o ridotte a purea, sono la più frequente alternativa alla polenta (appena scodellata o abbrustolita).

La carne salata, comunque, è il punto di partenza. Di norma, si fa riferimento a quella bovina, ma la stessa procedura era valida anche per la pecora. Oggi è possibile acquistare la polpa di manzo già pronta presso buone macellerie della Valle d'Aosta.

Una utile indicazione riguardante la preparazione della carne salata è data pure da Francesco Chapusot nel suo libro *La cucina sana, economica ed elegante secondo le stagioni*, pubblicato a Torino nel 1846. Chapusot, francese, fu il cuoco dell'ambasciatore d'Inghilterra nella capitale sabauda dal 1841 al 1851: era anche amico fraterno dello chef di re Carlo Alberto.

Bue salato

Abbi un bel pezzo nervoso di lacca, di collo o di spalla di bue, del peso di 6 a 8 libbre (di 12 oncie) e, ammaccatene alquanto le carni e fregate con un'oncia di sal nitro misto con 12 di sal comune in polvere, e qualche aroma, se piace, serbale in un vaso di terra sotto grave peso per lo spazio di 15 o 20 giorni almeno, rivoltandole spesso. Al dì prefisso, gettato il pezzo di bue in una pentola con tre pinte d'acqua a sobbollire tre ore, e, lasciato freddare, servesi per hors d'oeuvre (accessorio) oppure alla gelatina.

Le lingue si possono apprestare nella stessa guisa. Se si vuol dare eziandio un gusto di fumo alle carni, sul fare di quelle di Amburgo, si sospendono entro la canna di un camino, ove si arderan tratto tratto ramaggi verdi tuttavia di arbusti odorosi, come lauro, timo, mortella, ecc.

Queste carni, per la facilità di conservarsi, sono di un gran compenso, per la campagna massimamente.

Per concludere il discorso sulla carbonade, è importante leggere il parere autorevole di un esperto gastronomo come Giovanni Goria.

Carbonata valdostana con la polenta

Oggi è un indiscutibile piatto valdostano, attribuito ai pastori che negli alpeggi valorizzavano anche frammenti di carne di 2° taglio cuocendola col prezioso vino rosso (prima certo la salmistravano). Nella Vallée ciò non deve essere avvenuto molto anticamente. E certamente l'imbeccata venne dal Piemonte: dove preparazioni consimili si fanno, nella cucina rustica, da vecchia data in tutta la fascia alpina e subalpina, dalle Marittime e Cozie alle Pennine e Lepontine. Oggi la buona "carbonata" ha ogni motivo di rientrare, ben interpretata, nella moderna cucina piemontese.

Ingredienti per 6 persone:
1 kg di coscia tenera e frollata di vitello (anche sottofiletto o carré) o meglio di

gustoso manzo; 1 cipolla molto grande o 2 medie; 2 hg di pancetta o lardo rosa tagliato a piccole striscioline o cubetti; 1 mazzo di profumi forti legati (rametto di timo di montagna, di alloro, di salvia, di rosmarino, di mentastro, di estragone, di santoreggia o ceréa, di sedano canna e foglia, di grossi gambi di prezzemolo con la fronda); 1 bottiglia di vino rosso (Dolcetto o Barbera o Nebbiolo o Carema); 8 bacche di ginepro; 3 chiodi di garofano; 8 grani di pepe nero interi;1 stecchetta di cannella; 1 baccello di aglio vestito; 1/2 bicchiere piccolo di aceto forte; burro e olio per friggere; farina bianca per leggermente infarinare; brodo di carne q.b.

Si taglia la coscia a sfogliatelle sottili di 1 cm per 2 o 3 cm. Si mette quindi questa carne a bagno per alcune ore nel vino rosso con tutte le droghe e i profumi. In un tegame largo e basso si butta giù la pancetta o lardo a soffriggere con poco olio e burro e il mazzetto delle erbe. Si asciuga la carne a pezzetti, la si infarina un poco, la si mette nel tegame a rosolare, si sala e si pepa. A fuoco forte si versa la metà del liquido (vino) di marinata, poi il 1/2 bicchierino di buon aceto. Si fa assorbire. Si abbassa il fuoco, si regola di sale e pepe, si aggiunge un pizzico di farina e alloro fresco, si copre di brodo e si porta a cottura (altri 40 minuti circa) sinché il sughetto sia ben ristretto.

Il gusto di questa antica carbonata, ben pepata di pepe nero, si adatta splendidamente alla polenta. Questa, fatela già "ricca": partite da metà acqua e metà latte, salatela bene, mettetevi 4 cucchiai di buon olio di oliva all'inizio, un po' di fontina a metà, burro e parmigiano a fine cottura.

Carbonade

Ingredienti:
1 cucchiaio di farina bianca
800 g di polpa di manzo a pezzetti (già salata)
1/2 cipolla
Burro
Cannella, chiodi di garofano, pepe
2 bicchieri di vino rosso valdostano
Polenta

In un tegame rosolare nel burro la cipolla tritata finemente e la carne leggermente infarinata. Mescolare bene. Unire le spezie e iniziare a bagnare col vino portando a cottura. Servire con polenta. Se usate carne non salata, ricordatevi di aggiustare di sale prima di servire.

Questa può essere considerata una ricetta di base che si presta a molteplici interpretazioni. Eccone alcune. La prima è una versione proposta da Paolo Vai al mitico "Cavallo Bianco" di Aosta, il ristorante condotto fino al 1991 con il fratello Franco.

Filetto alla carbonade

Ingredienti:
4 filetti da 180 g l'uno
4 fette di pancetta
200 g di ritagli di filetto
1 costa di sedano
1/2 carota
1/2 cipolla
1 rametto di rosmarino
2 foglie di salvia
1 spicchio d'aglio
8 grani di pepe bianco
4 chiodi di garofano
1 bacca di ginepro
1 litro di Pinot Nero Valdostano

Preparare 4 filetti perfettamente sgrassati e arrotolare sul bordo esterno una striscia di pancetta. Fare rosolare con poco olio di oliva i ritagli di filetto, unendo sedano, carota, cipolla, rosmarino, salvia, aglio, pepe in grani, chiodi di garofano, la bacca di ginepro, il tutto sminuzzato; a rosolatura avvenuta unire una bottiglia di Pinot nero e lasciare cuocere a fuoco lento per 7 ore.

Passare il tutto al setaccio. La salsa così ottenuta risulterà cremosa e ambrata.

A parte preparate una polenta e tagliatela a dadini.

Velare il piatto con la salsa, sovrapporvi il filetto precedentemente cotto in padella con aglio e rosmarino, guarnire con la polenta.

La ricetta suggerita da Luigi Carnacina e Luigi Veronelli è abbastanza elaborata; essa prevede anche l'impiego del pomodoro.

Carbonata

Ingredienti:
1 kg di carne magra di bue (possibilmente la spalla) tagliata a fettine non troppo spesse
800 g di cipolle affettate, sbollentate per 5 minuti e ben asciugate con un panno
100 g di strutto
Vino rosso asciutto

Sugo di carne:
40 g di grasso di prosciutto
Cotenna fresca
500 g di carne magra di manzo
Carote
Pancetta
250 g di muscolo di vitello
1/2 piedino di vitello
10 g di funghi secchi
100 g di cipolla
Sedano
Aglio
1 chiodo di garofano
Timo, lauro e maggiorana
Vino rosso asciutto
Farina
100 g di polpa di pomodoro

Polenta:
500 g di farina di polenta grossa tipo Verona
Sale e pepe appena macinato

Appiattire leggermente le fettine di carne e farle colorare per qualche minuto da ambedue le parti in una padella con 60 g di strutto e un pizzico di sale e pepe; sgocciolarle. Nel medesimo grasso fare dorare leggermente la cipolla, condita con un pizzico di sale. Ingrassare una teglia con lo strutto rimasto, farvi uno strato con la metà delle cipolle, allinearvi sopra le fettine di carne e ricoprirle con le cipolle rimaste; bagnare a filo con il vino rosso asciutto e con il sugo di carne (sono necessarie 5 parti di vino e 1 parte di sugo di carne). Cuocere nel forno a calore moderato sino a completa riduzione del liquido. Accompagnare la carbonata con polenta ben calda passata a parte.

Preparazione del sugo di carne
Fare sul fondo di una casseruola uno strato di 40 g di grasso di prosciutto passato al tritatutto, appoggiarvi sopra qualche cotenna fresca, o di prosciutto, sbollentata per 5 minuti, nettata e rinfrescata, e sopra ancora 500 g di carne magra di manzo steccata con fettine di carote, cosparsa di sale e pepe e picchettata con striscioline di pancetta ben magra, 250 g di muscolo di vitello, mezzo piedino di vitello passato alla fiamma; una decina di grammi di funghi secchi ammollati in acqua tiepida; 100 g di cipolla, 60 g di carote, 1 costola di sedano e uno spicchio d'aglio (tutto tagliuzzato minutamente); condire con un chiodo di garofano, sale e pepe. Passare la casseruola col suo coperchio sul fornello, cuocere a calore moderato e rimestare di tanto in tanto. Appena la carne comincia a rosolare, aggiungere un mazzetto composto di timo, lauro e maggiorana (ben legato con un fili), bagnare con mezzo bicchiere di vino rosso, farlo ridurre completamente e mescolarvi, fuori dal fuoco, 20 g di farina; rimettere la casseruola sul fornello, mescolare accuratamente per qualche minuto a calore moderato e aggiungere 100 g di polpa di pomodoro tritata. Coprire con acqua bollente sino all'altezza della carne, condire con il sale necessario e mescolare ben bene per incorporare gli ingredienti tra loro. Far prendere l'ebollizione e continuare la cottura per circa 4 ore, in forno, a calore moderato. Ritirare la casseruola dal forno e sgocciolare le carni (serviranno per preparare un polpettone o delle polpette); passare il sugo attraverso un setaccio in altra casseruola, rimetterlo sul fornello e far riprendere l'ebollizione sgrassando di tanto in tanto. Se il sugo risultasse troppo liquido farlo ridurre a consistenza normale; versarlo in una terrina e tenerlo in luogo fresco. Si può conservare eventualmente per parecchi giorni.

Preparazione della polenta
La polenta va cotta in una pentola di rame detta "paiolo" a fondo emisferico e non stagnata. Far prendere l'ebollizione a 2 litri d'acqua salata con 16 g di sale e tenere a portata di mano altra acqua bollente leggermente salata da aggiungere durante la cottura; appena prende il bollore, versarvi, poco alla volta e a pioggia, farina di polenta grossa "tipo Verona" che è la migliore, o la farina di grana fine, la più tradizionale.

Tagliata di manzo con salsa carbonade

Ingredienti:
4 entrecotte di manzo da 120 g l'una

Per la salsa:
500 g di ritagli di manzo
1 gamba di sedano
1 litro di vino rosso Pinot nero
1 cucchiaino di cannella in polvere
10 bacche di ginepro
10 chiodi di garofano
20 grani di pepe nero
2 foglie di alloro

In una pirofila mettere tutti gli ingredienti per la salsa e ritirare in frigorifero per 24 ore. Scolare la marinata in un tegame. Rosolare la carne con le cipolle, spolverare con un cucchiaio di farina, bagnare con il vino della marinata e portare a cottura, in due ore, a fuoco lento. Filtrare il tutto ricavandone così la salsa da ritirare a bagnomaria, in caldo.

Cuocere le entrecotte con dell'olio extravergine d'oliva, tagliarle a lamelle e disporle sul piatto.

Nappare con la salsa e servirle con della polenta.

Ricetta di Alfio Fascendini del ristorante "Vecchio Ristoro" di Aosta

* * *

Per salare la carne

Disporre sul fondo di un recipiente di coccio un pezzo di scamone di manzo e ricoprirlo con un trito di aglio, rosmarino, salvia, alloro, pepe e sale grosso in abbondanza. Mettere un peso sulla carne. Sigillare con un coperchio e lasciare riposare al fresco per 10-12 giorni. La carne può essere posta a salare già tagliata a pezzetti o a fettine. In questo caso è opportuno alternare strati di carne con il sale e gli odori. I contenitori attuali sono di materiale plastico, per motivi igienici; una volta erano di pietra o di legno. È evidente che le quantità di carni (bovine, ovine e caprine) fossero legate a motivi contingenti. In alpeggio, per esempio, poteva capitare di dovere macellare una mucca ormai incapace di produrre latte o una pecora. Le carni, allora, erano mescolate, e magari cucinate insieme, come avviene in Maremma per la scottiglia, uno spezzatino diffuso, guarda caso, tra i carbonai e i boscaioli.

In montagna certi pezzi già ben salati erano appesi all'aria per conservarli il più a lungo possibile.

Soca

Ingredienti:
800 g di polpa di manzo tagliata a tocchetti
1 cavolo verza
3 patate
1/2 cipolla
1/2 carota
1 spicchio d'aglio
Sale e pepe
Fontina
Burro

Portare a ebollizione l'acqua con la cipolla, la carota e l'aglio e aggiungere la carne. Se è il caso schiumare e proseguire la cottura per qualche minuto. Unire il cavolo, mondato delle coste più grosse, e le patate tagliate a cubetti. Mettere il coperchio e lasciare sobbollire fino a cottura.

Scolare e sistemare la carne, le patate e il cavolo in una pirofila. Pepare e coprire con fette di fontina e burro fuso. Passare in forno, a 180°, per dieci minuti.

Questo pasticcio di carne dovrebbe essere preparato con della carne salata. Occorre dunque fare attenzione all'ulteriore aggiunta di sale. A Cogne qualcuno aggiunge a bollire un pugno di riso. È possibile usare del buon brodo invece dell'acqua.

Costoletta di vitello con verdurine e funghi porcini

Ingredienti:
4 costolette di vitello da 120 g l'una leggermente battute

Per la farcia:
80 g di polpa di vitello
50 g di zucchine
30 g di carote
50 g di asparagi
80 g di porcini
30 g di albume
Sale e pepe

Per la salsa:
200 g di ritagli di vitello
100 g di cipolla
50 g di carota
30 g di sedano
Scalogno
1 bicchiere di vino bianco
3 dl di Marsala
Rosmarino, salvia, aglio, basilico, sale, pepe

Frullare la polpa di vitello con i funghi porcini trifolati e aggiustare di sale e pepe. Unire le verdurine tagliate a dadini e scottate in acqua salata. Aggiungere alla farcia 30 g di albume montato a neve. Con un coltello a punta fine praticare delle tasche nelle cotolette e farcirle con il preparato. Riporre il tutto in frigo.

Per la salsa rosolare i ritagli con le verdure e bagnare con il vino bianco. Lasciare sfumare e unirvi mezzo dl di acqua; cuocere per 40 minuti. Passare la salsa al colino e aggiustare di sale e pepe. Fare una riduzione con dello scalogno e 3 dl di Marsala. A metà del volume unire la salsa preparata prima e bollire per 4 minuti. Ritirare a bagnomaria. Fare cuocere in padella le 4 costolette di vitello rosolandole bene. Colare il grasso della cottura. Servirle con funghi porcini e nappare con la salsa.

Ricetta di Alfio Fascendini del ristorante "Vecchio Ristoro" di Aosta.

Coda di bue alla valdostana

Ingredienti:
1 coda di bue già pulita e tagliata a pezzi
Farina di frumento
Burro
Lardo e salsiccia
Verza
Acqua o brodo
Sale e pepe

Infarinare leggermente i pezzi di coda e rosolarli con il burro e il lardo tritato. Aggiungere la salsiccia sbriciolata. Mescolare bene e versare l'acqua (o il brodo). Fare sfumare a fiamma non troppo elevata e unire le foglie di cavolo mondate delle coste più dure. Se è il caso versare altra acqua e portare a cottura. Aggiustare di sale e pepe.

Fricandò valdostano

Ingredienti:
800 g di carne magra di vitello
Burro
2 fettine di lardo
1/2 cipolla
1 spicchio d'aglio
Rosmarino, salvia

1 bicchiere di vino bianco
Sale e pepe

Rosolare nel burro la cipolla tritata finemente e l'aglio. Unire il lardo, la carne a tocchetti, la salvia e il rosmarino. Mescolare bene e bagnare con il vino bianco. Aggiustare di sale e pepe.

Il Fricandò si ritrova pure in Piemonte (dove si fa riferimento a una sorta di spezzatino) e Liguria. Nel caso piemontese, la cottura della carne e delle verdure avviene con l'aggiunta di brodo. L'origine della parola è francese (ma le ricette sono diverse).

Sembra che un tempo venisse preparato con carne salata e con un battuto di porri.

Coniglio alla cacciatora

Ingredienti:
1 bel coniglio
Burro
2 fettine di lardo
Rosmarino, salvia, timo
1 spicchio d'aglio
1/2 cipolla
1/2 carota
1/2 gambo di sedano
2 chiodi di garofano
1/2 bottiglia di vino bianco
Sale e pepe

Tagliare a pezzi il coniglio e lasciarlo qualche ora sotto il sale. Scaldare il burro. Unire il lardo e rosolare il coniglio. Versare le verdure e gli aromi tritati e i chiodi di garofano. Mescolare bene e cominciare a bagnare col vino. Portare a cottura a fuoco dolce (circa un'ora) aggiustando di sale e pepe.

Fritto di sangue e trippa

Nel suo libro *La cucina ai piedi del Monte Rosa*, Luciana Faletto

Landi riferisce di una ricetta con sangue di maiale e trippa tipica dei giorni della macellazione del suino. In effetti qualcosa di simile avveniva, fino a poco tempo fa, pure in altri luoghi. In pratica, non essendoci possibilità di conservare a lungo parti ricche di azoto, venivano improvvisate delle gustose preparazioni al di fuori di ogni sistema cucinario. Sembra che anche attualmente qualche addetto ai lavori rievochi con piacere, in compagnia ristretta, certe gustose cerimonie.

La ricetta appartiene, in questo caso, alla Valle d'Ayas e alla Valle del Lys:,

bollire la trippa già tagliata a listarelle e farla rosolare in padella con burro e cipolle tritate finemente. Bagnare con un po' di vino bianco. Aggiungere il sangue di maiale cotto e tagliato a fettine. Aggiustare di sale e pepe. Accompagnare con polenta gialla.

È evidente che altrove il soffritto sia preparato con olio d'oliva purissimo.

Fresse

A "Les neiges d'antan", tipico, pittoresco ristorante (nell'omonimo albergo) situato tra Valtournenche e Cervinia, le "fresse" sono proposte tra i secondi, insieme a salsiccette in umido, camoscio e polenta. "È una classica ricetta della Bassa Valle", spiegano due dei proprietari, Carmen Garavet e Ludovico Bich che, in un pieghevole relativo al menu, precisano "Fressa come la facevano i nostri vecchi: una foglia di cavolo ripiena di fegato, polmone e un acino d'uva, cotta nel vino rosso". Potrebbe sembrare una pietanza della vendemmia o dei giorni di vigilia di una festa (le frattaglie non potevano essere conservate a lungo), in coincidenza con la macellazione del maiale. Il nome del locale è ispirato dal verso di una poesia ("Mais ou sont le neiges d'antan?") del villon. E il luogo, per la verità, emana un particolare fascino.

Per gli appassionati, è d'obbligo la menzione d'onore riguardante la cantina, basata sull'impareggiabile collezione di Carema. Il vino rosso, strutturato e corposo, ottenuto dal vitigno nebbiolo, è originato da vigneti situati in provincia di Torino. Ma l'ambiente è quanto mai valdostano. C'è continuità, insomma, tra Valle d'Aosta e Piemonte. In vigna e a tavola. Nelle Langhe, nei dintorni di Alba, dove la fonduta sposa i tartufi bianchi, sono comuni le "frisse", involtini di foglie di cavolo o di retina di maiale contenenti polmone, fegato e salsiccia di maiale. Abbastanza simili – cambia la composizione della farcia – sono i caponét.

Frisse, fresse (o caillettes, come sono conosciute in alcune zone) sono preparate con carni di maiale. Il procedimento è normalissimo: le carni rosolate e tritate vengono amalgamate con formaggio grattugiato, uova e spezie e avvolte nelle foglie di cavolo (scottate e asciugate) o nell'omento di maiale e portate a cottura (una volta con strutto e burro) bagnando con brodo o vino.

Secondo Carmen Garavet ha fondamento una versione "estiva" della zuppa Valpellinentze con zucchini al posto del cavolo. Nel copioso carrello degli antipasti de "Les neiges d'antan" sono da segnalare le acciughe al verde, la lingua salmistrata e i tomini sott'olio.

La caccia

La caccia in Val d'Aosta

In tutte le epoche passate la caccia è sempre stata una pratica riservata ai potenti. I Savoia erano abituali frequentatori delle valli d'Aosta, dove portavano con sé un folto stuolo di dignitari.

È normale, di conseguenza, che i cuochi di corte abbiano diffuso in zona i modi di preparare il cibo (in particolare la selvaggina) in uso presso la famiglia reale. Sono le ricette dei trattati di cucina pubblicati nella seconda metà del XIX secolo.

Nel 1821, il re Vittorio Emanuele I proibì la caccia allo stambecco nel Gran Paradiso mantenendo il diritto personale come un privilegio indiscutibile. Grande cacciatore, di capi di selvaggina oltre che di prosperose figliole, fu Vittorio Emanuele II, la cui presenza in valle era piuttosto assidua. Si narra fosse seguito, ogni volta, anche da duecento battitori che lo assecondavano volentieri per la generosa ricompensa elargita. Le cronache, per esempio, attribuiscono a Umberto I il record di una settantina di capi abbattuti in una sola giornata.

Fu proprio Vittorio Emanuele II, nel 1856, a determinare i confini di un vasto territorio destinato a riserva di caccia per i sovrani sabaudi; erano tracciati, in pratica, i contorni del futuro Parco Nazionale del Gran Paradiso, il primo in Italia, istituito nel 1922. Con i suoi 4061 metri di altitudine il Gran Paradiso è l'unico "quattromila" compreso interamente sul suolo italiano. Infatti si estende sulla base di una superficie – quella del Parco – di oltre settantaduemila ettari ripartiti tra la Regione Valle d'Aosta e la provincia di Torino.

In uno scritto del 1737 lo storico Jean-Baptiste de Tillier cita

"Ours, Loups, Marmottes, Perdrix blancs, Faisans, Perdrix rouges et grises, Grives, Cailles, Beccasses, Canards, et toutes sortes d'espèce animaux ou oiseaux connus". Vale a dire, come altre specie: camosci; stambecchi, caprioli, galli cedroni, cervi.

Si potrebbe azzardare l'ipotesi che proprio le mocette di stambecco e camoscio fossero contrapposte come simboli di prestigio nei riguardi delle mocette di capra preparate dai pastori con animali meno nobili.

La ricetta che segue è stata pubblicata da Luigi Veronelli nel "Mangiarbene" di *Vini e Liquori* quando ne era il direttore, a metà degli anni settanta. La rivista era molto seguita dagli appassionati del settore per le preziose informazioni che dava. L'indicazione circa il rosso di "Ezio Voyat" oggi "Le muraglie", non è casuale: il produttore di Chambave è stato tra i primissimi a essere conosciuto al di fuori delle Valle d'Aosta.

Salmì nobile di camoscio

Ingredienti per 10-12 persone:
2 chili di carne di camoscio (spalla, petto, collo ecc.)
Il fegato del camoscio

Una marinata così composta:
1/2 litro di vino rosso di buon corpo
1 bicchierino di cognac
1 decilitro scarso d'olio
Rosmarino, una cipolla, 3 scalogni affettati
Sale e pepe pestato al mortaio
60 g di lardo tritato finissimo
400 g di funghi freschi nettati e tagliati a spicchi (eccellente, per il salmì, il porcinello ma anche ogni altro boleto mangereccio)
200 g di pancetta magra sbollentata per 5 minuti, poi tagliata a pezzi e bene asciugata con n panno
1 litro e 1/2 di vino rosso di buon corpo
1 spicchio d'aglio
50 g di farina
Carta bianca
1 noce di burro
Sale e pepe nero pestato nel mortaio

Taglio il camoscio in pezzi non troppo grossi e li tengo in una umidiera, coperti dalla marinata per 24 ore, mescolandoli di tanto in tanto. Metto il lardo tritato finissimo nel tegame, vi faccio rosolare i pezzi di pancetta, quindi li tolgo e li tengo da parte in una fondina. Mescolo nel fondo di cottura la farina, poco alla volta; appena prende un colore rossastro vi getto i pezzi di camoscio bene asciugati con un panno pulito, mescolando continuamente, li faccio rosolare, poi bagno col resto del vino e con la marinata passata al passino fine e condisco con un buon pizzico di sale, poco pepe e lo spicchio d'aglio. Faccio prendere l'ebollizione mescolando continuamente per sciogliere la farina che si è attaccata ai pezzi di camoscio, ricopro la casseruola con un foglio di carta bianca bene imburrato e continuo la cottura a calore moderato, preferibilmente nel forno, per 2 ore. Tolgo i pezzi di camoscio, li passo bene sgocciolati in altra casseruola ovale, o rettangolare, e aggiungo la pancetta e i funghi freschi crudi; vi verso anche la salsa passata attraverso un passino fine. A calore moderato faccio riprendere l'ebollizione, ricopro col foglio di carta e continua la cottura per un'altra mezz'ora. Un quarto d'ora prima di servire, unisco il fegato passato al setaccio e mescolato con qualche cucchiaiata della salsa in preparazione. Servo il salmì (contornandolo, se si vuole, con crostini di pane seccati nel forno), nella casseruola di cottura, munendola dell'apposito sostegno.

Consiglio un vino stupendo e praticamente sconosciuto, sia nella preparazione della ricetta che, poi, gustandola: lo Chambave rouge, prodotto da un "mio" viticoltore, Voyat, a Chambave in provincia di Aosta. Tutto affascina: il suo colore rosso intenso, il profumo che pieno e vinoso non manca tuttavia di soavità, il sapore franco e netto, generoso ad armonioso. Abbia 5 o 6 anni e sia servito a 20°.

Civé, civet, salmì

Il termine civé (o sivé) deriva dal francese civet e indica la stessa preparazione che in altre regioni – per esempio la Lombardia – è conosciuta come salmì. Salmì, pure, è di origini transalpine (da salmis). Di solito il civet – uno stufato in pratica – è riferito alla lepre, ma l'esecuzione è più appropriata per camosci, caprioli e daini. Una volta uno degli ingredienti fondamentali della ricetta era il sangue dell'animale ucciso (veniva raccolto con cura e tenuto con la massima attenzione). Oggi i capi macellati sono conservati nei congelatori e le cose, in cucina, procedono diversamente. Certo è che attualmente, per civet e salmì, sono in uso parecchie varianti che riguardano la marinatura, il tipo di vino, l'impiego della farina, la quantità delle spezie e altro ancora (senza contare le diverse ricette regionali).

Camoscio al civet

Ingredienti:
800 g di polpa di camoscio
Burro
2 fette di lardo
2 spicchi di aglio
1/2 cipolla
Bacche di ginepro
2 foglie d'alloro
Chiodi di garofano, noce moscata, cannella
Prezzemolo
Rosmarino
Farina bianca
1/2 bottiglia di Torrette
Sale e pepe
Polenta

Pulire e tagliare a bocconcini la carne. Metterla a marinare con tutti gli odori e il vino (che dovrà coprirla a filo), lasciare in luogo fresco per qualche ora. In una terrina scaldare il burro e il lardo tritato. Sgocciolare la carne, infarinarla leggermente e rosolarla bene. Bagnare col vino della marinata, opportunamente filtrato e cuocere a fuoco sostenuto unendo tutti gli odori della stessa marinata. Versare il resto del vino, coprire e cuocere lentamente, aggiustare di sale e pepe. Servire con polenta dopo avere passato il fondo di cottura.

Capriolo in umido

Ingredienti:
800 g di carne di capriolo
1 bottiglia di Donnaz
2 spicchi d'aglio
1/2 cipolla
1/2 carota
1/2 gambo di sedano
3 chiodi di garofano, cannella, noce moscata
Bacche di ginepro
1 bicchierino di grappa
80 g di burro
1 cucchiaio di farina di frumento
Timo
Sale e pepe

Tagliare a bocconcini la carne e porla a marinare con le verdure e gli odori tritati e le spezie, coprendola a filo con il vino. Lasciare riposare per qualche ora. In un tegame di coccio scaldare il burro e unire carne e aromi opportunamente filtrati e sgocciolati. Rosolare bene. Bagnare con spruzzi di grappa. Portare a cottura con il vino, a fuoco non troppo elevato (col coperchio) addensando il fondo con un po' di farina. C'è chi preferisce portare a cottura versando brodo (nel quale è sciolto del concentrato di pomodoro) invece di impiegare tutto il vino. Aggiustare di sale e pepe e servire con polenta.

Il diavolo dalle zampe di capra

A Issime, sulla strada per Gressoney, nel 1601 venne celebrato il processo in contumacia al diavolo, incriminato, tra l'altro, di mangiare i pellegrini, prosciugare le fonti e assalire le giovani fanciulle per costringerle all'amplesso. La storia vuole che il diavolo avesse strane zampe di capra. La vicenda accomuna emblematicamente alcuni elementi riconducibili alla vita dell'alpeggio.

In montagna i pastori portavano le capre, le quali non avevano bisogno di cura particolari, per utilizzarne il latte, assai nutriente, e produrre formaggini freschi. Il latte di mucca era prezioso per la fontina e i conseguenti guadagni. All'occorrenza, la capra era buona per farne mocette. Proviamo a immaginare i racconti davanti al fuoco, la sera. Ogni sera per tante settimane.

Luciana Landi, nel suo libro *La cucina ai piedi del Monte Rosa*, ricorda, a proposito della frazione Grand-Praz del comune di Issime, il "pero del diavolo", sotto le cui fronde, in una notte di plenilunio, avrebbe trovato rifugio un viandante inseguito dallo strano essere dalle zampe di capra.

Ghiro

I libri di storia, soprattutto quelli dedicati ai Savoia, testimoniano come nelle valli d'Aosta fossero abbondanti i ghiri, ambite prede di caccia.

Prima della gente sabauda e dei loro servitori montanari però, dei ghiri furono ghiotti i romani. Lo sostengono Antonietta Dosi e Francois Schnell nel loro *A tavola con i romani antichi*:

"I ghiri, per i quali i romani fecero, in un certo periodo, delle vere follie, venivano farciti con chenelle di porco e con le stesse frattaglie dell'animale tritate. Una volta ricuciti, erano passati al forno sopra una tegola".

Ancora: "Fra la selvaggina ingrassata collochiamo anche il ghiro, che veniva allevato in gliaria circondati da mura. Ne esistevano modesti allevamenti anche presso i contadini, che li ingrassavano nell'oscurità con ghiande e castagne dentro botti chiuse da coperchi. Più tardi il ghiro passò di moda e il suo prezzo sul mercato si abbassò notevolmente".

Marmotta

È evidente come la preparazione sia oggi improponibile quale specialità di cucina. Tuttavia essa è compresa nella tradizione della regione alpina e dunque sembra doveroso ricordarla.

La marmotta era tagliata a pezzi e posta a riposare al fresco, per qualche giorno, con erbe e spezie. Poi veniva sbollentata in acqua, scolata e messa ad asciugare per farle perdere il grasso. Dopo era sistemata in una ciotola a marinare con nuove erbe e spezie per un paio di giorni. La sua cottura non richiedeva sostanze grasse.

Oggetti valdostani. (Collezione Graziano Pozzetto)

Le trote

Ricette tradizionali e moderne per preparare la trota, forse il più classico dei pesci d'acqua dolce.

Trote al vino rosso

Ingredienti:
4 trote da 250/300 g l'una
2 bicchieri di vino rosso valdostano
40 g di burro
1/2 cipolla
1/2 carota salvia, rosmarino
Sale e pepe

Pulire le trote. In una piccola casseruola fare ridurre della metà il volume del vino. In una teglia da forno soffriggere nel burro gli odori tritati finemente. Adagiarvi le trote e lasciarle cuocere dai due lati per 3-4 minuti. Bagnarle con il vino rosso, aggiustare di sale e pepe e metterle in forno per qualche minuto.

Trote al burro

Ingredienti:
4 trote da 250-300 g l'una
Farina
Olio d'oliva per friggere
Salvia e prezzemolo tritati
Sale e pepe
Burro fuso

Pulire le trote, aprirle e privarle delle lische. Infarinarle e friggerle.

Asciugarle del grasso di cottura in eccesso e disporle in piatti individuali caldissimi. Cospargere la salvia e il prezzemolo e aggiustare di sale e pepe. Irrorarle con burro fuso.

Charlotte di trota con porri e ragù di verdure

Ingredienti:
4 trote
1 decilitro di olio di oliva
1 limone
3 porri
50 g di panna
Sale e pepe

Per la salsa:
2 patate
1 carota
1 zucchina
1 gambo di sedano
4 asparagi
50 g di panna
3 cucchiai di olio extravergine di oliva
Sale e pepe

Sfilettare le trote e privarle di tutte le lische. Metterle su di un piatto, unire l'olio di oliva e il succo di limone, salare, pepare e porre in frigorifero per due ore. Nel frattempo affettare i porri e farli stufare in poca acqua. Quando sono pronti unire la panna e continuare la cottura per due minuti. Salare e togliere dal fuoco. Rivestire 4 stampini con i filetti di trota, riempire con i porri stufati terminando con un filetto di trota per chiusura. Cuocere a bagnomaria in forno a 180° per 15 minuti.

Per la salsa
Bollire le patate e frullarle con una parte dell'acqua di cottura, la panna e l'olio di oliva. Emulsionare bene la salsa, filtrarla, porla in un pentolino e tenerla in caldo. Intanto tagliare tutte le verdure a dadini, scottarle separatamente in acqua bollente, scolarle e unirle alla salsa di patate.

Stendere la salsa sul fondo di ogni piatto sformandovi al centro la charlotte.

Ricetta di Alfio Fascendini del ristorante “Vecchio ristoro” di Aosta.

Scaloppa di trota gratinata alle erbe

Ingredienti:
4 scaloppe di trota da 100 g l’una
100 g di pane alle erbe
Olio extravergine di oliva
Sale e pepe

Per il pane alle erbe:
100 g di mollica di pane in cassetta
2 rametti di rosmarino
2 foglie di salvia
1 mazzetto di erba cipollina
30 foglie di basilico
2 spicchi di aglio

Passare il tutto al mixer ottenendo un composto soffice e profumato dal colore verde intenso. Versare in una teglia dell’olio d’oliva, salare le scaloppe di trota e coprire bene la parte superiore con il pane. Disporre il pesce nella teglia dove si unirà mezzo bicchiere di vino bianco e i gusti (timo, aglio, basilico, carote, cipolla). Passare il pesce al forno per 4 minuti a 180° e per 2 minuti in salamandra gratinando con cura la parte superiore. Servire la trota su una base di spinaci e accompagnare con dei filettini di pomodoro crudo all’olio di oliva e delle verdurine tornite.

Ricetta di Alfio Fascendini del ristorante “Vecchio Ristoro” di Aosta.

Trote al vino bianco

Ingredienti:
4 trote
Burro
1/2 cipolla
Salvia, rosmarino, timo
1/2 bicchiere di vino bianco
Sale e pepe

Rosolare la cipolla tritata con il burro. Unire le trote ben pulite (sistemare le erbette all'interno dei pesci, con un ricciolo di burro). Insaporire e bagnare con il vino bianco. Cuocere con il coperchio, a fuoco dolce, per 12-15 minuti (dipende dalla dimensione delle trote) aggiustando di sale e pepe. Servire in piatti individuali con il fondo di cottura.

La polenta

Povre dzen di campagne,
no careimen tot l'an
et trifolle et tsatagne
fan noutre camentran

detto popolare di Lillianes

(Povera gente di campagna
per noi è quaresima tutto l'anno
patate e castagne
per il nostro Carnevale)

Come accadde anche in altre regioni d'Italia, il mais iniziò a essere abbastanza conosciuto nella Valle d'Aosta nella seconda metà del Settecento. Risolse ben presto importanti problemi alimentari diventando cibo assai prezioso per la gente di montagna, che imparò a unirlo al sostanzioso latte vaccino e ai suoi derivati.

Polenta di granturco

Scaldare l'acqua salata e versare la farina gialla cercando di evitare la formazione di grumi. Mescolare e aggiungere il burro. Questa è la base di partenza per numerose, successive elaborazioni.

Polenta con cavoli e patate

Lessare nell'acqua salata le patate e i cavoli a pezzetti. Versare a pioggia la farina e mescolare. Unire il burro e portare a cottura. È una ricetta simile a quelle di altre regioni, con la sola variante del burro al posto dell'olio d'oliva.

Polenta concia 1

Quando la polenta è quasi a cottura, versare burro, fontina tagliata a fettine e pezzetti di toma. Mescolare con cura.

Polenta concia 2

Togliere la polenta dal fuoco, a cottura, e tagliarla a fette. In un vassoio alternare polenta, fontina e toma a strati tagliate a fettine. Completare con un poco di burro scaldato a parte. Qualcuno aggiunge pure un poco di latte caldissimo.

Polenta grassa

Versare in pari quantità acqua e latte nel recipiente di cottura, salare e aggiungere la farina di frumento cercando di evitare la formazione di grumi. Unire il burro e portare a cottura. Poco prima di togliere dal fuoco incorporare nella polenta della toma tagliata a pezzetti.

Luciana Faletto Landi ricorda che la polenta così preparata nei giorni festivi, nelle valli del Monte Rosa, veniva messa in una padella di rame contenente altro burro e riposta a crogiolare accanto al fuoco.

Palline di polenta

Era una delle tante maniere di utilizzare la polenta, su negli alpeggi.

Prelevare porzioni di polenta fredda della dimensione di un uovo e lavorarle con le mani a mo' di polpette. Praticare un incavo con un dito e riempirlo con burro e fontina o toma. Cuocere per qualche minuto in forno.

Polenta pasticciata alla fontina

Ingredienti:
Polenta gialla
Burro
Fontina

Tagliare a fette la polenta e sistemarla sul fondo imburrato di una teglia da forno (o di una pirofila); coprire con fettine di fontina. Formare altri strati terminando con qualche fiocchetto di burro. Infornare (180°) per 10 minuti.

Questa si può considerare una preparazione-base che può essere ulteriormente arricchita con salsa di pomodoro, prosciutto cotto, lardo tritato ed erbette, salsiccia sbriciolata.

C'è il richiamo alla Valle d'Aosta, ma in pratica si tratta di un diffuso accorgimento per il gustoso recupero della polenta avanzata.

Miasse

Ingredienti:
Farina di granturco
Uovo
Brodo
Lardo

Ottenere un impasto come per il pane. Ricavarne delle porzioni e metterle tra le piastre dei ferri da cialde unte di lardo. Cuocere sul fuoco per qualche minuto. Raccogliere le miasse e tenerle al caldo per mangiarle con salumi. Tipiche della Valle del Lys.

Miasce

Ingredienti:
600 g di farina di mais
100 g di farina di frumento
Burro
Latte
2 uova
Sale

Impastare tutti gli ingredienti e ricavarne delle porzioni da cuocere tra i ferri da cialde. Ricetta in uso nell'alto canavese.

Quando si parla di polenta in Valle d'Aosta è opportuno rivolgere il pensiero anche ad altre farine che non siano quella di mais. Pensiamo, per esempio, alla polenta d'orzo della Val di Cogne.

Polenta d'orzo

Mescolare in pari quantità farina di frumento e di orzo e incorporare in una purea di patate aggiungendo fontina e toma. Mescolare bene e servire con burro fuso.

Polenta bianca

La polenta bianca è ottenuta cuocendo la farina gialla nel latte allungato con un po' d'acqua.

Polenta di segale

Nell'acqua bollente versare la farina di segale e cuocere nel modo consueto. Condire con cipolle rosolate nel burro.

La fontina

Le fromadzo bien viu den noutre grotte neire,
Quan en lo chour, voilà que l'et bon pe fére beire.
L'et belle bon, de cou, a tzassé lo tzagrin,
Sensa lliu, te pou pas senti lo gou di vin.
…
Fromadzo di pai, di mont o di campagne,
Ton gout me fa pensé a no belle montagne,
I ciel, i vin, i fleur, i bague que l'ei son:
Fromadzo, sensa te, na ghun dini l'et bon.

Auguste Petigat – in "Noutro Dzen Patoué", n. 3, 1965.

(Il formaggio molto vecchio nelle nostre cantine nere, / quando lo si porta fuori, ecco che va bene per far bere. / È proprio capace, a volte a cacciare i dispiaceri, / senza di lui non si può sentire il sapore del vino. … Formaggio dei paesi, dei monti o delle campagne, / il tuo sapore mi fa pensare alle nostre belle montagne / ai cieli, ai vini, ai fiori, alle cose che ci sono: / formaggio, senza di te, nessun pranzo è buono.)

Nel mondo della fontina

Sembra che quasi tremila famiglie valdostane siano interessate, a diverso titolo, al ciclo produttivo e commerciale della fontina. Si tratta di una consistente percentuale di popolazione che partecipa a realizzare un'attività di indubbia valenza economica e sociale.

Alcune famiglie possiedono solo pochi capi di bestiame, 5 o 6 vacche, ma questo è sufficiente perché venga rispettata la tradizione che si consuma nell'arco dei fatidici cento giorni, tra giugno e settembre, su negli alpeggi. Il che significa mantenere viva la montagna e insegnare ai giovani che una buona parte degli affetti e delle loro origini culturali hanno radici anche a oltre 2000 metri di quota.

Di fatto, è una situazione che richiama direttamente alla memoria tutte le occasioni che vedono l'uomo come grande protagonista dell'agricoltura difficile: nei vigneti delle Cinque Terre e della stessa Valle d'Aosta o nelle risaie asiatiche. Nei tre mesi utili le operazioni da eseguire sono tantissime e vanno molto al di là delle esigenze più squisitamente tecniche quali la mungitura a notte fonda e la trasformazione del latte in fontina. Si pensi agli interventi di manutenzione dei fabbricati – case e stalle – o al ripristino dei sentieri e dei corsi d'acqua sconnessi dallo scioglimento delle nevi e dalle correnti impetuose dei torrenti che scendono a precipizio. Ogni pascolo abbandonato costituisce un passo verso il degrado di un ambiente impareggiabile.

Un mondo straordinario e particolare, quello dell'alpeggio, dove gli uomini devono dimostrare amicizia e solidarietà per affrontare serenamente gli obblighi imposti dalla lunga convivenza. Il ritmo è scandito dai silenzi, dai gesti ancestrali ripetuti migliaia di volte, dai dubbi e dalle emozioni suscitati dagli umori del cielo. È soprattutto il cielo che dà il segnale decisivo della partenza. Perché gli stati d'animo che contano sono quelli dell'inarpa e della désarpa. Prima c'è la speranza del favore di una bella stagione che mantenga erbe e fiori in abbondante quantità. Se tutto andrà bene, la partenza per il ritorno a casa sarà accompagnata dalla soddisfazione di avere portato a termine una sorta di impresa. Allora, sembrerà più dolce il distacco dagli struggenti e magici paesaggi alpini. E d'inverno, quando le mucche verranno alimentate col fieno messo da parte in estate, il ricordo si trasformerà in sogno.

Le origini della denominazione della Fontina sfumano nell'intreccio di storie, leggende e tradizioni. Tutte credibili, per la verità.

Fontin sarebbe stato il nome di un pascolo ubicato nel territorio di Quart, in prossimità di Aosta, un tempo appartenente al comune di Nus. Una citazione latina del 1270, contenuta nei *Fonds Challant* e riportata da Francois Mathiou, dice: "Item tenent apud Fontines peciam prati". Nella stessa pagina c'è un'altra importane nota riferita a certo "Penoninus de Fontines". Certo è che nel Medio Evo in Valle d'Aosta erano prodotti formaggi molto simili all'attuale Fontina. Numerosissimi, infatti, sono i documenti che parlano di "vacherinus" e "vacherin" (francese), seracium (ricotta) e seras, proprio a partire dal 1270. Il via è dato a Issogne, in seguito a un contenzioso sorto tra il vescovo – che reclamava 41 forme "vacherinorum" in contropartita della concessione dei pascoli – e alcuni produttori, i quali avrebbero preferito pagare in denaro contante.

Nel 1477 il medico vercellese Pantaleone da Confienza dà alle stampe il trattato *Summa Lacticinorum* e dedica il IV capitolo ai formaggi e alla ricotta valdostani. Sulle caratteristiche "de caseo Vallis Auguste" non ci possono essere dubbi: pasta, occhiatura e dimensioni sono quelle della Fontina. Tanto che la descrizione dello scienziato piemontese potrebbe figurare degnamente come didascalia della pittura che compare – siamo nel 1480 – su una lunetta del castello di Issogne. L'immagine rappresenta un negozio – una "gastronomia", diremmo oggi – e sul banco di vendita ci sono tre forme di formaggio. Crosta, scalzo e forma sono più che evidenti: si tratta ancora di Fontina.

Si individua una costante: la dimensione – il peso – delle forme. Il formaggio, in fondo, altro non è se non un modo di conservare il più a lungo possibile il latte a disposizione. Dagli alpeggi, una volta, non c'era la possibilità di scendere spesso a valle per commercializzare il formaggio che veniva immagazzinato fino al giorno della desarpa. La mole consistente delle fontine ne rallentava il processo evolutivo. La pasta restava elastica e compatta e si riducevano i rischi di rottura.

Ecco finalmente, nel 1731, l'indicazione ufficiale: fontine, selvaggina, vino rosso e moscato fanno parte di un carico che i sudditi del Ducato d'Aosta spediscono al re in segno di fedeltà e riconoscenza. Qualunque sia la data di nascita ufficiale, certo è che la Fontina e l'alpeggio hanno inciso profondamente sulle vicende della gente delle valli. Per esempio, è interessante sapere che i pascoli potevano essere di proprietà di ricche famiglie, della chiesa e dei comuni ed erano affidati a terzi attraverso aste pubbliche o trattative dirette. Gli affitti erano corrisposti in denaro o in equivalenti quantità di fontine. Molte consuetudini sono tuttora rispettate. Gli alpeggi in attività, almeno abbastanza rilevanti per superficie e capi, sono un po' più di 250. Si calcola che le "montagnette" – il fenomeno dei pascoli di tipo familiare esistenti soprattutto nella bassa valle – siano altrettante. Ma si stima che nel decennio seguente al 1985 gli addetti alle pratiche dell'alpeggio siano dimezzati pur rimanendo invariato il numero dei pascoli e dei capi in essi ospitati.

Una fontina da 20 chili

"Mio padre, Prospero, era un esperto selezionatore di fontine e tutti gli riconoscevano la capacità di scegliere tra le varie qualità. Se le procurava negli alpeggi della valle e le conservava in appositi magazzini, a Saint-Marcel. Negli anni '50, ero un ragazzino e mi piaceva accompagnarlo nei suoi viaggi. Seguivo le contrattazioni, potevo conoscere tante persone e giocare sui prati. Si cambiava spesso direzione per soddisfare adeguatamente le richieste dei clienti, grossisti e piccoli commercianti, ciascuno con le proprie esigenze. Le più belle e meglio pagate erano le forme di Rhemes-Notre-Dame. I pastori riuscivano sempre a spuntare un prezzo superiore, ma le loro fontine facevano un figurone. I formaggi più grassi venivano prodotti nella zona di Pila. Credo potessero avere un 10-15% in più di sostanze grasse rispetto alla norma. In Valpelline, nei dintorni di Bionaz e By, ci si poteva imbattere in stupende fontine del peso di 20 kg. Era una festa, allora. Le forme si flettevano senza rompersi grazie all'eccezionale elasticità raggiunta dall'impasto. Il merito era del casaro, capace di manipolare con intelligenza un latte fantastico. Delle fontine di Bionaz rammento tuttora l'ineguagliabile profumo floreale. Tornavo a

casa stanco e soddisfatto. Mi obbligavano a sorbire un po' di "sailetta", per recuperare in fretta le energie. La miracolosa pozione consisteva in qualche cucchiaio di farina bianca stemperata nel vino rosso. Gli anziani asserivano "facesse sangue". Sottrarmi al rito, era impresa difficile. Credo che i presunti effetti benefici del ricostituente fossero da attribuire alla rarità della farina di frumento e all'alta considerazione sempre riservata al vino rosso."

Ricordo di Franco Zublena

La battaglia delle regine

Si tratta di una manifestazione che sottolinea chiaramente il valore simbolico, sociale ed economico delle mucche valdostane. "La battaille des reines" mette a confronto, nei diversi alpeggi, i capi più forti delle mandrie. Di solito le antagoniste appartengono alla razza "pezzata nera". Le selezioni periferiche designano le finaliste che si incontreranno ad Aosta, a fine ottobre.

Le fasi preliminari si svolgono a settembre (una anche ad agosto), nei giorni che praticamente coincidono con la preparazione del rientro alle stalle e alle abitazioni di fondo valle. La grande stagione della fontina si avvia ormai al termine e per i pastori e le loro famiglie è l'occasione per festeggiare.

"La battaglia" costituisce un appuntamento importantissimo per gli uomini e le bestie. Nulla, dunque, è lasciato al caso: ogni dettaglio viene curato con la massima attenzione, durante i giorni così pieni di tensione della vigilia, perché l'ambizione di conquistare il prestigioso trofeo è molto grande. Non è uno scontro cruento, comunque. Non c'è spargimento di sangue. I pastori, oltre tutto, vogliono un sacco di bene alle vacche, con le quali hanno condiviso e condivideranno tanto tempo. Ma è una sfida in piena regola, con riti e scommesse previsti dalla inestinguibile, avvincente sceneggiatura scritta dalla tradizione. La fine della contesa viene stabilita dalle stesse "regine": prima o poi una si stanca di lottare testa a testa contro la sua pari e si allontana dal campo di battaglia. Lo fa con la consapevolezza di non avere perduto la propria dignità regale. Ci sono vacche che non combattono, ma la loro fierezza non è minore. Torneranno a valle con il fregio di un altro ambìto riconoscimento: il ramo di pino infilato in un nastro rosso. È il segno delle "regine del latte", le più produttive.

(Collezione famiglia Charrère, Aymavilles)

Le parole della fontina

Abete

È il legno usato per ricavare le assi degli scaffali dove sono poste a stagionare le fontine.

Caratteristiche organolettiche

Pasta liscia, elastica ma compatta con modesta occhiatura. Colore dei diversi toni del paglierino (più carico nelle forme estive). Sapore e aroma dolci nel prodotto fresco. Nota più piccante della fontina stagionata a lungo. Profumo caratteristico (sentore di erbe e fiori abbastanza netto nel formaggio d'alpeggio).

Consorzio

Il Consorzio Produttori Fontina, sorto nel 1952, vigila sulla qualità e provvede alle marchiature delle forme che presentano i requisiti richiesti dalla legge. Il Consorzio ha sede in Aosta al n° 10 di piazza Arco d'Augusto.

Doc

La denominazione d'origine controllata è stata concessa alla Fontina con D.P.R. n° 1269 del 30 ottobre 1955. Nell'ambito del disciplinare di legge il Consorzio ha messo in pratica un Regolamento per la produzione del latte destinato alla trasformazione in fontina. Al di là delle rigorose indicazioni di carattere igienico-sanitario, si riportano alcuni articoli riguardanti la qualità della fontina.

Articolo 2

Il latte deve provenire da vacche appartenenti alle razze Valdostana Pezzata Rossa e Valdostana Pezzata Nera (Castana) in conformità agli usi locali, leali e costanti.

Articolo 3

Il latte deve essere caratterizzato da eccellenti equilibri chimico-fisici e microbiologici che garantiscano le qualità casearie per la riuscita della Fontina. Conformemente al decreto, il latte "intero", proveniente da una sola mungitura, ad acidità naturale di fermentazione, deve essere conferito nel più breve tempo possibile. Non sono consentiti trattamenti tecnologici quali refrigerazione, riscaldamento o aggiunta di additivi prima del conferimento.

Articolo 4

È vietato conferire latte con caratteristiche negative tali da compromettere la trasformazione in Fontina; in particolare il latte di vacche in cura o non perfettamente sane (rispettare rigorosamente i tempi di eliminazione dei trattamenti medicinali, soprattutto antibiotici) e il latte di vacche che hanno partorito da meno di otto giorni.

Articolo 5

Le vacche in lattazione devono essere alimentate con foraggi locali (fieno e pascolo); sono proibiti i foraggi insilati di ogni tipo ed è vietata la somministrazione di alimenti aventi riconosciute caratteristiche anti-casearie.

Gli alpeggi nel Medio Evo

1115 – la chiesa di Saint-Nicolas sul Gran San Bernardo riceve in donazione l'alpeggio di Citren.
1149 – Il beneficio parrocchiale diFenis possiede un alpeggio a Savoney e a Clavalité.
1191 – Viene acquistato l'lapeggio Layet.
1199 – L'alpeggio Verney è donato al capitolo di Sant'Orso di Aosta.

Da *Le fromage Fontine*, di François Mathiou

Dop
In base al regolamento n° 2081 del 1992, nei primi mesi del 1996 la CEE ha riconosciuto la Denominazione d'origine protetta della Fontina: "prodotto agricolo originario della Regione Valle d'Aosta la cui qualità e le cui caratteristiche sono dovute essenzialmente all'ambiente geografico, comprensivo dei fattori naturali e umani e la cui produzione, trasformazione ed elaborazione avvengono nell'area geografica delimitata". Un formaggio con le peculiarità della Fontina, insomma, è tipico della Valle d'Aosta. Certo, è un attestato di prestigio e di garanzia per il consumatore.

Fontina
Formaggio grasso (minimo 45% di sostanze grasse sul secco) a pasta semicotta ottenuto dal latte crudo in una sola mungitura. Deve sottostare a un affinamento in speciali magazzini per un minimo di tre mesi. Per le sue particolari caratteristiche organolettiche è un eccellente formaggio da tavola che si presta a numerose elaborazioni di cucina che raggiungono il vertice con la fonduta.

Forma
Cilindrica, con diametro compreso tra i 30 e i 40 cm (diametro medio tra i 36 e i 38 cm). Scalzo tra i 7 e i 10 cm. Peso tra gli 8 e i 12 kg (peso medio 10 kg). Crosta di colore nocciola o scuro, liscia,

Oggetti valdostani. (Collezione La Valdôtaine, St. Marcel)

dello spessore di 2 mm massimo, compatta. Sulla crosta sono impressi il marchio di qualità apposto dal Consorzio e i segni distintivi del produttore.

Latte

Il latte usato per la Fontina, ottenuto dalla mungitura di mucche delle razze Pezzata Rossa e Pezzata Nera o Castana non viene pastorizzato preventivamente. È latte crudo, dunque. Il che obbliga a un costante, rigoroso controllo igienico e sanitario per garantire un prodotto finale – il formaggio – di grande finezza e indubbia personalità. Il latte proviene da una sola mungitura e deve essere trasformato entro due ore. Il latte crudo porta un'interessantissima, preziosa carica di microflora lattica viva (come lo yogurt) che è riscontrabile nella Fontina con le analisi microbiologiche.

Magazzini

Le forme di Fontina devono sostare per almeno tre mesi negli appositi magazzini a temperatura (5-10°) e umidità (94-98%) costanti. Si tratta di miniere, bunker militari, vecchie condotte opportunamente adattati dove sono custodite migliaia e migliaia di forme. Il magazzino di stoccaggio più capiente (poco meno di 70 mila fontine) è a Ollomont, in Valpelline, a 1147 metri di altitudine. Era una miniera di rame. La visita costituisce uno spettacolo unico. All'ingresso della grotta è allestita una bella mostra didattica su tutte le fasi produttive del formaggio valdostano. Altri depositi si trovano a Issogne (380 m), Montjovet (750), Palleusieux (1200), Pollein (550), Saint-Pierre (730), Pré-Sint-Didier (1000), Valgrisenche (1700).

Marchio

Il marchio di qualità viene impresso sulla superficie delle forme a opera dei tecnici del Consorzio, i quali controllano le fontine con l'aiuto di un martelletto e di una sonda. La percussione segnala lo stato di maturazione e la presenza di bolle d'aria. Il prelievo con la sonda permette di valutare la consistenza della pasta. Il marchio, disegnato da Sergio Canavese, raffigura il Monte Cervino.

Produzione

Mediamente ogni anno vengono prodotte circa 400 mila fontine (per un peso equivalente di 3500 tonnellate). Gran parte (73%) compete alla Cooperativa Produttori Latte e Fontina che ha sede a Saint Christophe, in località Croix Noire, n° 10. Costituita nel 1957, comprende 600 soci conferitori. La sua importanza sociale ed economica è rilevante. Altri produttori sono: Caseificio Vallet Pietro Severino (La Balma, Donnas), Azienda Agricola Les Iles dei fratelli Volget (Brissogne), Caseificio Artigiano Variney di Duclos Eliseo (Petit Quart, Gignod), Renzo e Elio Quendoz (Les Adams, Jovencan). Qua e là per le valli, comunque, è possibile trovare piccole aziende familiari o agrituristiche.

La Fontina è prodotta tutto l'anno, salvo che tra ottobre e novembre allorché le vacche si preparano al parto. In estate, le bestie sono alimentate con le erbe e i fiori dei pascoli degli alpeggi. In inverno, il nutrimento è dato dal fieno ottenuto con il raccolto della bella stagione.

Stagionatura

Dai caseifici le forme sono trasportate a stagionare nei magazzini, dove sono attuate operazioni fondamentali per l'affinamento e la conservazione. Il periodo di sosta non può essere inferiore ai tre mesi.

All'inizio le forme sono salate a secco e spazzolate a giorni alterni per scongiurare l'insorgere di muffe. Nel secondo mese gli interventi diradano perché la formazione di una patina superficiale consente la necessaria protezione della pasta. Poi, ecco il consolidarsi della tipica crosticina bruno-nocciola. Tre mesi sono sufficienti per ottenere un eccellente formaggio. La Fontina può però affinarsi a lungo per la delizia dei molti appassionati dei prodotti dal gusto più deciso con i quali è opportuno accompagnare un vino più corposo.

Trasformazione

Il latte, debitamente filtrato, viene versato nella caldaia e portato dolcemente alla temperatura di 36-37°. Si aggiungono il caglio e il sale e si lascia riposare fino alla coagulazione della cagliata. Il casaro, in virtù della sua esperienza, interviene con l'apposito attrezzo, la lira, e frantuma la massa formatasi fino a ridurla a piccole particelle simili a chicchi. Adesso è il momento in cui viene avviata la cottura (tra i 40 e i 48-49°) che durerà circa tre quarti d'ora. Questo provoca la nuova aggregazione dei chicchi e l'eliminazione del siero, favorita da un continuo mescolamento della massa.

La cagliata è pronta per essere prelevata con i teli nelle quantità utili per essere collocate negli stampi, i quali sono separati l'uno dall'altro da assi di legno e impilati sotto una pressa.

La pressione esercitata agevola l'eliminazione del residuo sieroso e il perfetto livellamento delle superfici. Le forme sono periodicamente capovolte e messe in teli puliti.

Di norma con un quintale di latte si ricavano 6 forme del peso di 9-10 kg.

* * *

Ricotta.

Les montagnards sont là è il poetico titolo di un libro bellissimo e avvincente che descrive puntualmente i giorni dell'alpeggio. I frammenti che seguono descrivono alcuni momenti e situazioni di particolare significato.

L'alpeggio

"Preparo poi la tavola con salami, pancetta, fontina e un buon bottiglione di vino. Chi arriverà potrà fermarsi per una 'mourdià'. Ho conservato l'abitudine di preparare anche del brodo caldo e il caffè nella grossa caffettiera bianca di smalto per chi, accaldato, vorrà gustarlo con un bicchierino di grappa, la 'gotta'. Intanto gli 'arpian' hanno aperto la stalla e sistemato le catene a ogni posto-mucca. A gruppi, il bestiame raggiunge l'alpeggio; ogni 'vatsì' procede, lentamente, con la propria mandria, la lascia brucare l'erba vicino alla strada e ai ruscelli. Affiderà il suo bestiame al primo pastore, dicendogli il nome di ogni mucca e raccomandandogli tutte le cure per ognuna. Verranno poi attaccate nella stalla, mandria per mandria, insieme, in modo che possano riconoscersi e, perché no, farsi compagnia."

Renato, il capo pastore

"– Da quanto tempo, Renato, fai il pastore?

Non mi stupirei se rispondesse: – Da sempre.

– Iniziai a dodici anni come "cit", per sei anni feci il pastorello con le mucche e con i manzi.

Il suo sguardo si posa sulla mandria, ma sembra guardare lontano. Dopo una lunga pausa continua: Erano altri tempi, oggi è tutto cambiato. Per carità, altro che cambiato!

Al mattino caffelatte? Potevi sognartelo. Polenta fredda e latte. A mezzogiorno "brossa" e "sarras" con polenta. A volte, il casaro tirchio metteva nella scodella più sarras che brossa; allora si aspettava un attimo e a galla veniva il siero, la "leità", e lo si buttava, ma nella scodella restava ben poco per inzuppare la polenta. Pane? Una volta o due al mese quando si cambiava baita. Vino, minestra, carne…? mai visti. Ora ti racconto un episodio che ti farà ridere.

Avevo forse quattordici anni e andavo al pascolo con i vitelli, su di là, dietro Porchère, in quel vallone. Avevo sempre fame. Un giorno trovai una scatola, la nascosi e me la portai dietro. Quando ero lassù, lontano, al pascolo, mi mungevo di nascosto una capra che aveva tanto latte. E me lo bevevo.

E ride, ride felice, forse ripensando al modo in cui aveva raggirato il casaro, forse ripensando al latte che lo aveva sfamato".

La carriera di un capo pastore

"E il riso gli gorgoglia giù nella gola e a me sembra di sentire il gorgogliare del latte proibito e dal sapore speciale che Renato ragazzino beveva per sfamarsi.

– Eh già, è così. Oggi invece non sanno più cosa mangiare: hanno troppo... A diciotto anni passai ai muli e per tre anni feci il conducente: si trasportavano materiali per costruire o rifare alpeggi. Dopo ritornai con le mucche e per due anni fui secondo pastore nell'alpeggio del comune di Ollomont. Dopo un anno e mezzo di servizio militare, tenni le Balme, l'alpeggio della famiglia, e intanto mi sposai. Infine, nel '63, presi in affitto Tsampillon, l'alpeggio del comune di Doues, e lo tenni per tre anni. Avevo otto-nove operai, 182 mucche da latte, più manzi e vitelli: circa 340 capi in tutto. Al quarto anno, quando mi presentai per l'asta, ci fu un altro che offrì 600 chili di fontina in più. Io persi l'appalto, ma quell'altro si indebitò, insomma non gli andò molto bene. E così ritornai con i muli per un paio di anni e poi presi in affitto, per sette anni, questo alpeggio, dove pascoliamo ora. Si chiama Les Evécro. Ora, dopo varie vicissitudini, i terreni sono proprietà del comune di Ollomont che ogni anno li mette all'asta. Quest'anno li ha presi Leo".

Alpeggio Lago Longet, m 2300 (La Thuile).

"Quassù siamo già in territorio francese, ma i pascoli appartengono ancora al comune di La Thuile perché, dopo il '45, il confine è stato spostato. Su questi sentieri, ora percorsi dai manzi, durante la

Oggetti valdostani. (Collezione La Valdôtaine, St. Marcel)

guerra facevano la spola i contrabbandieri: in là riso e in qua sale. Veramente era più uno scambio di merci che contrabbando. Il sale da noi mancava ed era indispensabile anche per le bestie. Noi lo distribuiamo un giorno sì e uno no; lo diamo a mano a quelle che lo prendono, alle altre lo mettiamo sulle rocce, sui lastroni all'interno del recinto, così anche le più deboli riescono ad averne a sufficienza".

Il patois della fontina

Dicourdì
Si avvicina il giorno della partenza. Vengono preparati i collari con i campanacci. Le bestie capiscono che è l'ora di andare. Dicourdì significa "slegare", appunto.

Mayen
(Maggengo) È un luogo generalmente vicino alle stalle di fondo valle dove le mucche pascolano prima di partire per l'alpeggio. Cessa l'alimentazione col fieno; si attende lo scioglimento della neve. È un momento di strana inquietudine per coloro che si accingono a salire in montagna.

Inarpa
La variegata carovana di uomini e bestie ha iniziato il viaggio che la terrà lontana da casa per tre mesi. Si tratta, nello stesso tempo, di un'affascinante avventura e di un duro lavoro.

Arpian
Sono le persone addette alle faccende dell'alpeggio: una truppa bene addestrata con le gerarchie da rispettare ripetendo gesti imparati a memoria.

Vatsi
Il responsabile della mandria.

Berdzì
Primo pastore.

Freutì
Casaro. Dalla sua abilità dipendono le fortune di una stagione. Egli, infatti, deve curare la migliore trasformazione del latte in fontina.

Seudzé
Jolly. Uomo tuttofare e affidabile per diverse mansioni.

Tia baou
Addetto alle pulizie della stalla e del terreno circostante.

E'nlaquì
Lo stallatico viene cosparso sui prati dopo essere stato ben diluito con acqua in modo da ottenere il duplice effetto di irrigazione e concimazione.

Saillaou
La persona preposta alla salagione delle fontine.

Cito càoula
Giovane apprendista alle prime esperienze d'alpeggio.

Tramouail (tramuto)
Sono i piccoli nuclei delle abitazioni dell'alpeggio. In una superficie ampia di pascoli, possono essercene diversi.

Mourdià
Pasto, merenda, spuntino.

Réina
È la vacca regina della mandria: una pezzata nera di solito è la regina di "cornes", una pezzata rossa invece è la " rèina du lacë".

Brila
Panchetto utilizzato per sedersi durante la mungitura.

Moudeun
Lira per rompere la cagliata.

Prë
Massa semicotta della cagliata pronta per essere raccolta con i teli.

Leitou
Siero.

Arotsaou
Piano di lavoro dove vengono sistemate le forme.

Pantie
Scaffali di deposito delle fontine.

Agotte
Mucca che non produce più latte perché ormai prossima al momento del parto.

Brossa
Sostanza dalla quale si ricava il burro. Era consumata nel pasto di mezzogiorno con la polenta.

Bourrie
Zangola in legno dove la panna diventa burro. È una sorta di botte nella quale, per squotimento, il burro si separa dal latticello.

Crotte
Grotte scavate nella roccia. Ricoveri per pastori e mucche in alta montagna.

Vaco
Parti di alpeggi abbandonate e avviate verso il degrado ambientale (dal latino "vacuum", vuoto).

Rodze
Mucca pezzata rossa, originaria del Nord Europa, assai adatta per produrre latte.

Neires
Mucche della razza pezzata nera o castana, tipicamente valdostana.

Souye
Superficie del pascolo riservata per il pasto delle vacche in alpeggio.

Alpe
Il complesso formato da baita, stalla, casera, opere di canalizzazione dei corsi d'acqua, muretti: in pratica, l'insieme ambientale progettato dall'uomo per sfruttare la natura del suolo. Concimazione e irrigazione sono indispensabili perché la vegetazione prativa – erbe e fiori – determina la qualità del prodotto finale.

Tsa
(Tza) È l'alpeggio di alta quota, raggiunto verso la fine di luglio. Tutto dipende dall'andamento della stagione. In Valpelline, a Plan Bago, la base – il tramouail – si trova a 2646 metri d'altezza e le mucche arrivano a brucare le erbe dei prati più alti d'Europa, a circa 3000 metri. Se le cose procedono bene, nel frattempo, giù in basso, può nascere un'erba novella buona per la fine di agosto e i primi di settembre.

Désarpa
Sono trascorsi almeno cento giorni dalla partenza. L'autunno è imminente. In montagna c'è il rischio di qualche nevicata. Si torna a casa. Le fontine sono a stagionare. I campanacci suonano a festa. Il ricordo dell'alpeggio vivrà nei racconti invernali.

La fonduta

La morbida, cremosa, saporita fonduta costituisce la maniera più straordinaria di impiegare la Fontina come ingrediente di cucina. Si accompagna felicemente con stuzzichini, riso, paste, carni e verdure dando origine a un'infinità di ricette. Certo, i gastronomi di razza mettono al primo posto assoluto la deliziosa fonduta con il tartufo bianco d'Alba. Però, come spesso accade per le cose più buone, non sempre ci sono pareri unanimi. I primi dubbi riguardano la stessa nascita della fonduta; a chi deve essere attribuita l'onorificenza della deliziosa invenzione.

Il parere dell'avvocato Giovanni Goria, astigiano, accademico della cucina e studioso, è assai importante e degno di considerazione:

È certo dunque che la vera fonduta vuole la fontina della Valle d'Aosta, ma non è affatto sicuro che la prima esperienza e invenzione del piatto sia avvenuta nella Valle. Alcuni infatti ritengono che sia nata a Torino o Ginevra, e c'è chi dice nella casa del cognato ginevrino di Cavour, cui il Marchese Gustavo fratello maggiore di Camillo aveva prestato un cuoco. Sarebbe stato costui che, lavorando a crema una fontina valdostana o savoiarda, avrebbe ottenuto per puro caso la magica fusione del groviglio elastico di formaggio, latte, burro e tuorlo d'uovo (è tollerato anche un po' di bianco, poco sbattuto), nel prodigioso, voluttuoso e giallo fluido che ben conosciamo e amiamo. Lo si ottiene, questo nobilissimo fluido perfetto, solo con la pazienza, con l'insistenza, con il girare energicamente il composto mediante la piccola frusta o il cucchiaio di legno, a calore assai basso, meglio a bagnomaria. Se fosse vera la derivazione della fonduta da Ginevra a Torino per i canali domestici della famiglia Benso di Cavour, avremmo la curiosa coincidenza che chi fece l'Italia fece anche la fonduta, e viceversa. Potrebbe essere vero perché su tutti i testi di cucina del Settecento e dell'Ottocento torinese (massime *Il Cuoco Piemontese perfezionato a Parigi* del 1766, *La vera cuciniera Piemontese* del 1771, lo Chapuchot nelle sue edizioni del 1816 e del 1851) non esiste nemmeno la parola fonduta, segno che arrivò dopo.

Facciamo un bel salto all'indietro fino al 1825, anno di pubblicazione del libro *Fisiologia del gusto* di Anthelme Brillat-Savarin (sottotitolo: O meditazioni di gastronomia trascendente) per leggere le note del raffinato gastronomo francese sulla fonduta.

La fondua è originaria della Svizzera. Si tratta semplicemente di uova sbattute col formaggio in certe proporzioni che il tempo e l'esperienza hanno insegnate. Ne darò la ricetta ufficiale.

È una pietanza sana, saporita, appetitosa, che si fa subito, sicché si può preparare rapidamente quando arrivino ospiti inaspettati. Del resto io non ne parlo qui che per mia soddisfazione personale e perché la parola "fondua" mi rammenta un fatto di cui i vecchi del distretto di Belley hanno serbato il ricordo.

Verso la fine del secolo decimosettimo, un certo Monsignor de Madot fu nominato vescovo di Belley e andò a prendere possesso della diocesi.

Coloro che erano incaricati di riceverlo e di fargli gli onori del palazzo che diventava suo, avevano preparato un pranzo degno dell'occasione e per festeggiare l'arrivo di Monsignore avevano usato tutte le risorse della cucina di allora.

Tra i piatti di mezzo troneggiava la fondua, che il prelato mangiò abbondantemente. Ma, oh meraviglia!, ingannato dall'aspetto della pietanza, e credendola una crema, la mangiò col cucchiaio invece di servirsi della forchetta come si fa da tempo immemorabile.

Tutti i commensali, meravigliati di quella stranezza, si scambiarono occhiate e sorrisi impercettibili. Ma il rispetto fece sì che nessuno osasse aprir bocca; tutto ciò che un vescovo venuto da Parigi fa a tavola, e soprattutto nel giorno del suo arrivo, dev'essere ben fatto.

Ma la cosa fece rumore e il giorno dopo tutte le persone, incontrandosi, facevano questi discorsi: "Sapete come ha mangiato la fondua ieri il nostro nuovo vescovo?".

"Ma sì che lo so! L'ha mangiata col cucchiaio: lo so da un testimone oculare ecc.". La città trasmise la notizia alla campagna e tre mesi dopo tutta la diocesi sapeva il fatto.

L'importante è che quest'incidente poco mancò non scotesse la fede dei nostri padri. Alcuni novatori presero il partito del cucchiaio, ma presto furono dimenticati: la forchetta trionfò: e dopo più di un secolo, un mio prozio ci rideva ancora, raccontandomi, con grandi risate, com'era andata che Monsignor Madot aveva mangiato la fondua col cucchiaio.

Ricetta della fondua

(Tolta dalle carte del signor Trollet Podestà di Mondon nel cantone di Berna.)

Pesate le uova che volete adoperare secondo il numero presunto degl'invitati.

Prendete poi un pezzo di buon formaggio di Gruyère che sia il terzo, e uno di burro fresco che sia il sesto del peso delle uova.

Rompete le uova e sbattetele bene in una casseruola, dopo di che vi metterete il formaggio grattato o tagliuzzato a fette sottili.

Mettete la casseruola su un fornello ben acceso, e dimenate con una spatola finché la miscela sia diventata ben densa e morbida: mettetevi poco sale o punto, secondo se il formaggio è più o meno vecchio, e molto pepe, perché è uno dei condimenti caratteristici di quest'antica pietanza: servite su un piatto leggermente scaldato: fate portare vino ottimo da bersi abbondantemente e otterrete un successone.

Per motivi sconosciuti – forse per un personale senso di antipatia nei riguardi dei Savoia e del Piemonte (come ha insinuato Massimo Alberini nel suo *Piemontesi a tavola*) – la fonduta non ha incontrato il favore di Pellegrino Artusi, che la chiama – ricetta n° 247 de *La scienza in cucina e l'arte di mangiar bene* – cacimperio. Il preambolo alla ricetta è molto significativo.

"Chi frequenta le trattorie può formarsi un'idea della grande varietà dei gusti delle persone. Astrazion fatta a quei divoratori, come lupi, che non sanno distinguere, sto per dire, una torta di marzapane da un piatto di scardiccioni, sentirete talvolta portare a cielo una vivanda da alcuni giudicata mediocre e da altri perfino, come pessima, rigettata. Allora vi tornerà in mente la gran verità di quella sentenza che dice: De gustibus non est disputandum... Io, per esempio, non sono del parere di Brillat-Savarin, che nella sua *Phisiologie du gout* fa gran caso della fondue (cacimperio) e ne dà la ricetta... Io, in opposizione a Savarin, di questo piatto fo poco conto, sembrandomi non possa servire che come principio in una colazione o per ripiego quando manca di meglio... A Torino ho visto servirla con uno strato superficiale di tartufi bianchi crudi tagliati a fettine sottili come un velo."

Adesso è il momento di ricordare l'osservazione di Massimo Alberini:

"Pellegrino Artusi aveva visto, a Firenze, gli ultimi anni del placido granducato di Toscana, poi l'avvento della capitale provvisoria, presto trasferita a Roma, e dei piemontesi doveva essergli rimasto il ricordo, comune a gran parte degli italiani d'allora: soldati, e quel ch'è peggio, veri soldati, con l'uniforme in ordine e uno spirito di casta discendente dai D'Azeglio, Lamarmora, Cialdini, fino ai dragoni in Genova e ai bersaglieri dei battaglioni, e burocrati ben intenzionati a dar vita, con i loro 'monsù Travet', a un apparato statale efficiente e solido.

Tutte cose ancor meno gradevoli del 'cacimperio' e valide per trasferire sul piatto l'antipatia sorniona espressa da una poesiola con la quale i fiorentini salutarono il trasloco della capitale da casa loro all'Urbe:

Roma esulta quando il prence arriva
Torino piange quando il prence parte
e Firenze, gentil culla dell'arte,
se ne frega di quando arriva e quando parte.

Dura fatica, anche in cucina, quella dei piemontesi 'invasori': opera di penetrazione e di persuasione da cui essi uscirono, in gran parte, sconfitti. Il loro risotto, anzi i risotti, non conquistarono né il Centro, né il Sud ('Signora mia, volevano farle mangiare la minestra di riso!' fu il grido di sgomento di una madre foggiana, esiliata a

Novara nell'anno 1932, quando spiegò a una conoscente perché s'era risolta a non mandare più all'asilo delle suore 'Annunziatina sua') e loro stessi, i piemontesi, cedettero, un bel giorno, accogliendo in tavola la pasta col sugo rosso di pomodoro. Convincere i nuovi fratelli delle virtù alimentari di rane, lumache al guscio, carbonnade valdostana e bollito misto, sarebbe stato impossibile. Vi si rinunziò: e, salvo qualche piatto falso, come la costoletta alla valdostana (è una 'bolognese' con la fontina, nessun vecchio libro la cita) la cucina del Regno Sardo, zona continentale, restò e resta chiusa nei suoi confini.
Fonduta compresa."

Vediamo, per chiudere l'argomento, due ricette del Vialardi che non lasciano dubbi sulla considerazione per la Fontina.

Fonduta (fondue) al naturale

Prendete 8 hg di formaggio grasso detto fontina, levategli la pelle, tagliatelo a pezzetti, posti in tegame con acqua fresca, scolate via l'acqua, fate fondere la fontina adagio sul fuoco lento oppure al bagno di maria, quando è fusa ben liscia, aggiungete tramenando sul fuoco 10 rossi d'uovo sbattuti con il quarto d'un bicchiere di fior di latte, passati alla stamigna, uniteli alla fonduta con 1 hg di butirro fresco, tramenate sul fuoco, finché siano rotti quei fili che forma la fontina col diventar liquida; indi si lega all'uovo e diviene spessa e liscia come una crema, senza però mai lasciarla bollire, tratta dal fuoco lasciatela un po' raffreddare mestolandola, che diverrà spessa. Giusta di sale versatela in un piatto profondo o terrina, e servitela calda.

Fonduta ai tartufi bianchi

Lavate 1 hg di tartufi bianchi, nettateli bene dalle macchie e dalla terra, guardate che abbiano un buon odore, tagliateli a fette sottili. Avrete la fonduta tutta finita come s'è detto sopra cotta ben liscia, tratta dal fuoco, mischiate la metà dei tartufi, giusta di sale versatela sul piatto, mettete il resto dei tartufi sopra, e servitela calda. Si possono mischiare dei piselli cotti verdi, o sparagi cotti e tagliati a forma di piselli ben verdi.

Da un po' di tempo è in atto una completa rivalutazione del valore gastronomico dei formaggi di qualità. Dunque, c'è una maggiore considerazione sia per la fontina sia per gli altri splendidi prodotti caseari italiani, grazie pure alla passione dei numerosi giovani che si sono applicati nel settore. Vediamo, però, come andavano le cose alla fine del 1929, allorché (il 15 dicembre) uscì il primo numero della rivista *La Cucina Italiana*.

"L'arte di presentare i formaggi"

Di solito, oggi si usa servire il formaggio con trascuratezza e alla buona.

Si compra lo stracchino, la groviera, il gorgonzola o la fontina, lo si pone su di un piatto e... via! si porta così, senz'altro, sotto il naso degli invitati. Qualcuno, preso da un pudore tardivo, si accorge talvolta che bisogna togliere la crosta e sostituirla con una stagnola. Ma quest'attenzione è poco comune e non viene praticata che in occasioni eccezionali, in ogni ricevimento. Quante belle combinazioni si potrebbero invece ottenere utilizzando gli aromi diversi e le differenti specie di formaggio!

La varietà dei formaggi è vasta, ma le sue combinazioni sono, bisogna riconoscerlo, pochissimo sfruttate.

Affermiamo anzitutto che mai un formaggio deve essere servito con la crosta. Obbligare i convitati a compiere quest'operazione che andrebbe fatta in cucina, a pulire il formaggio e riempire il piatto di croste, ecco un segno di poca signorilità.

Una sola eccezione può essere ammessa a favore dell'Olandese, la cui crosta rossa offre agli occhi un piacevole colore.

Ecco come il problema era posto dal "cuoco Piemontese perfezionato a Parigi".

Del Formaggio. Non voglio ora qui descrivere la maniera di fare i formaggi, spiegherò solamente di certi metodi di cui si può servirlo sopra le tavole e l'uso che se ne può fare in cucina. Noi abbiamo i formaggi di capra, che son fatti col latte di capra meschiato con un terzo di latte di vacca; poi abbiamo quelli di Aosta, il piacentino, di Savoia e di grovera, il quale deve essere scielto con occhi grandi, e ben grasso il formaggio parmigiano; abbiamo ancora i formaggi teneri di fresco fatti, quali si servono al grosso sale. I piccoli formaggi al fior di latte che si mangiano colla crema e col zuccaro; tutte queste sorti di formaggi si servono sopra la tavola nella frutta; in cucina non v'è che il parmigiano, la grovera e il lodigiano, di cui si serve.

C'era una volta il Cavallo Bianco

È fuori di ogni discussione: le due stelle Michelin rappresentano un notevole motivo di richiamo per il ristorante che ha il privilegio del riconoscimento. A suo tempo, dunque, il Cavallo Bianco di Aosta contribuì ad attirare l'attenzione verso la cucina dei fratelli Vai e a fare conoscere le potenzialità della gastronomia valdostana. C'è stato un momento in cui i cuochi hanno riscoperto i suggerimenti della tradizione cogliendone spunti per dare il via a personali interpretazioni, anche alla luce delle più moderne tecniche di cottura e dei recenti insegnamenti di dietetica.

Il Cavallo Bianco è stato, fino al 1991, una valida palestra che ha formato giovani cuochi. Altri aspiranti professionisti sono stati all'Hostellerie du Cheval Blanc, risoltasi – sono i casi della vita – in un'esperienza brevissima. Altri giovani hanno seguito Paolo e Franco Vai a Courmayeur, al Grill del Royal e Golf. Questo significa che, al di là delle vicende personali, l'insegnamento è una cosa forte e affascinante. Per fortuna.

Piccole storie del gusto

Nel 1967, ventisettenne, Paolo Vai, grafico pubblicitario di belle speranze con l'hobby della buona tavola, scelse di cambiare vita. Basta con pennini, inchiostri e bozzetti: il futuro sarebbe stato riservato alla compilazione di ricette e alla progettazione di delizie gastronomiche.

Manca la controprova, mai sapremo se il mondo della pubblicità abbia perso qualcosa di importante. È sicuro, piuttosto, che il cambiamento di rotta ha contribuito in maniera determinante a

La vecchia sede del Cavallo Bianco di Aosta.

diffondere e valorizzare l'immagine della tradizione cucinaria valdostana e del patrimonio enologico regionale.

Il motivo della decisione potrebbe essere stato fornito, con tutta probabilità, dall'affermazione di due coincidenze: la disponibilità, da parte del nonno di sua moglie Corinne, di una settecentesca stazione di posta, nella corte del centro storico di Aosta al n° 15 di via Edouard Aubert, e il profondo rispetto per il suocero, Ariodante, il quale aveva avuto l'onore di lavorare al fianco di Auguste Escoffier proprio a Montecarlo, nella Costa Azzurra, dove il celebre gastronomo mise a punto gran parte delle ricette della opulenta cucina internazionale. Il padre di Corinne, per altro, aveva acquisito notevoli insegnamenti anche a Liegi e Ostenda preparando sontuosi banchetti per principi e nobili, i quali erano, allora, tra il XIX e il XX secolo, gli unici interlocutori dei cuochi di maggiore fama.

Papà Vai, emiliano di nascita, era giunto ad Aosta per trovare occupazione alla Cogne. Lo aveva convinto il fratello, che si trovava in valle da circa quindici anni. Conobbe una giovane parrucchiera di nome Felicita e la sposò. Dal matrimonio nacquero Paolo e, tre anni più tardi, Franco.

Mai si è interrotto il sodalizio di giochi e interessi tra i due fratelli, completamente differenti negli umori e negli approcci. Di loro, nel 1968, sulla *Guida Garzanti all'Italia piacevole di Piemonte e Valle d'Aosta*, Luigi Veronelli scriveva: "Un tempo sulla via obbligata della valle, era cambio di posta; già il portone è delizioso, e l'intatto cortile, e la scala che sale alla rustica balconata di legno, fiorita di gerani. Dentro, ragazze in costume, gonna rossa e corpetto nero, due proprietari scontrosi e una cucina, tutta rusticana, deliziosa. Vi puoi sostare in camere accoglienti e tranquille".

Un quadro stringato e perfetto. Essenziale e denso di significati, a testimonianza dell'ammirazione suscitata in Veronelli. "Il gusto per il cibo – dice Paolo – credo sia da ricercare nelle nostre origini emiliane. Andavano di moda gli antipasti di salumi misti, i cannelloni con la besciamella e la 'milanese'. L'attività fu prontamente salutata dal successo. L'apertura del traforo del Monte Bianco costituiva l'impareggiabile pretesto per richiamare frotte di curiosi in viaggio da e per la Francia. La sosta al Cavallo Bianco era un appuntamento d'obbligo.

Nel 1971, però, Paolo e Franco iniziarono a riflettere sul da farsi. Le cose stavano cambiando e non era più sufficiente l'aggiunta di un pezzo di fontina per definire un piatto "alla valdostana". Grazie all'aiuto di alcuni amici quali Franco Zublena e Gianni Bertolotti, vennero recuperate vecchie ricette locali. "Non potevamo sbizzarrirci troppo – è sempre il ricordo di Paolo – perché la cucina della Valle d'Aosta è rivolta soprattutto alla sopravvivenza, per via del clima e delle montagne. Ma i clienti accolsero di buon grado le nuove proposte. Inserimmo le zuppe, proseguimmo con altre elaborazioni, un poco alla volta."

Franco Vai, impiegato all'Olivetti, a Ivrea, non si fece pregare troppo per seguire Paolo nell'impresa del Cavallo Bianco. Dopo una presenza part time, nell'agosto del 1970 prese la decisione definitiva non rientrando in fabbrica al termine delle ferie d'agosto. A lui, come sempre, il compito di mettere ordine nelle pratiche amministrative e, momento ogni giorno più delicato nella ristorazione che cambia, accogliere gli ospiti e scegliere i vini.

Di lì a poco, ecco la prima stella della Michelin. Poi, la seconda.

Nei primi anni ottanta, il mito del Cavallo Bianco dei fratelli Vai è confezionato a puntino. Vengono aperti una gelateria e un ristorante dove, la sera, sono serviti piatti fissi. Tra l'89 e il '90, ecco l'insegna del negozio di gastronomia. Il fascino emanato dal Cavallo Bianco, simbolo di intraprendente indipendenza, diventa progressivamente più forte. Le riviste e i periodici specializzati registrano puntualmente le sapienti incursioni di Paolo nell'archeologia e nella storia della cucina della Valle d'Aosta. Le tecniche di cottura e di assemblaggio degli ingredienti cambiano completamente e i cibi poveri diventano gastronomia pura: terrina di coniglio con pane brioche caldo, sformato di cavolo con fonduta, filetto alla carbonade, tournedos al Pinot Nero con gnocchetti di polenta, ravioli di fontina in vellutata di cavolo, tortelli di trota salmonata, zuppa di trota e funghi porcini, sformato di patate in crema di rape rosse, tortino di formaggi e barbabietole. Senza tralasciare, per assecondare l'estro creativo, astici e frutti di mare, foie gras e tartufi. Con formaggi e dolci all'altezza della situazione.

Paolo e Franco Vai.

"Ancora oggi, a quasi sei anni dalla chiusura, avvenuta nel settembre del 1991 – (queste note sono state scritte a Courmayeur, presso l'Hotel Royal, luogo di lavoro dei fratelli Vai da un paio d'anni – giovedì 3 aprile 1997) è l'opinione di Paolo – non sappiamo trovare gli argomenti validi per poter precisare le ragioni del successo del Cavallo Bianco. Credo non spetti a noi, il compito. Il fatto è che mai ci siamo atteggiati a personaggi o ci siamo lasciati andare alla mondanità. In ogni circostanza, come abbiamo dimostrato, ci siamo impegnati per ripartire da zero lasciando da parte il passato. Per quanto mi riguarda personalmente, posso dire che la vecchia locanda, ora trasformata in centro direzionale e commerciale, ha significato qualcosa di indimenticabile, visto che alcune camere, adeguatamente ristrutturate, sono state la mia casa. In qualità di cuoco, devo sottolineare un particolare: un giorno, senza specifici precedenti, quasi da incosciente, mi sono addentrato, sorretto dallo spirito di un artigiano, in un modo incredibile fantastico. Fu una questione di istinto. Mi mancava la gavetta. Ai giovani, però, mi sforzo di raccomandare lo studio e l'arricchimento della propria cultura per meglio celebrare quei matrimoni gustativi capaci di suscitare emozioni di valore. Per un cuoco, il resto conta poco. O nulla."

Franco: "Ci occupiamo di ospitalità da trent'anni. Quasi una vita. Quanti cambiamenti sono intervenuti, nel frattempo, nella nostra società? Penso ai tanti colleghi ristoratori, a quanto, occupandosi della propria azienda, hanno fatto per l'ambiente circostante. Mi accorgo che qualcuno potrebbe ricavare gli elementi necessari per scrivere un avvincente romanzo sulla cucina italiana contemporanea. Gli argomenti non mancherebbero. E non sarebbe soltanto un saggio sul costume: viaggi, onori, delusioni, amori, passione, economia, scienza, fallimenti, esaltazioni, premi, conoscenze, gente famosa, speculazioni, cultura, comunicazione, mode, prelibatezze sublimi, grandissimi vini. Sullo sfondo, il trascorrere dei giorni, gli avvenimenti politici, la cronaca, i cambiamenti, le nostre piccole storie di uomini protesi alla ricerca di profumi e sapori da regalare agli altri".

Oltre la vetrata della luminosa sala da pranzo del Royal e Golf, i netti ghirigori del profilo della montagna sembrano volere incidere il cielo, azzurro e brillante come in pochissime altre occasioni è dato da apprezzare, da queste parti. Accanto a Paolo e Franco siede Nicola Galeone, giovane e talentuoso cuoco pugliese. Prima o poi, egli aprirà un ristorante tutto suo. Nella mente e nel cuore porterà con sé, ovunque stabilirà di fermarsi, un frammento piccolo e struggente della storia del Cavallo Bianco di Aosta.

La mia valpellenentze 1

(Cavolo ripieno in consommé di fonduta)

Ingredienti:
1 bel cavolo verza
200 g di salsiccia
2 cucchiai di parmigiano grattugiato
Burro
Fonduta
Fette di pane nero
Cipolla

Sbollentare rapidamente le foglie di cavolo in abbondante acqua salata e stenderle ad asciugare su un panno. In una padella rosolare con un po' di burro la cipolla tritata finemente e la salsiccia sbriciolata. Cuocere per qualche minuto e passare al mixer amalgamando l'impasto col parmigiano. Con il composto ricavare delle polpettine da avvolgere nelle foglie di cavolo.

Disporre gli involtini a cerchio in una fondina e versare al centro la fonduta sulla quale si metteranno dadini di pane rosolati nel burro e asciugati dell'eventuale eccesso di grasso.

La mia valpellenentze 2

Unire della fonduta valdostana a una leggera vellutata per ottenere una crema delicata e non troppo densa. Con un poco di burro rosolare in padella della cipolla tritata finemente, due fette di carne di vitello e una salsiccia sbriciolata. Macinare e unire del pane raffermo fatto rinvenire nel latte e un rosso d'uovo. Aggiustare di sale e pepe. Mescolare con cura e ricavarne delle polpettine da avvolgere in foglie di verza sbollentate e fatte asciugare.

Friggere in poco burro chiarificato dei crostini di pane nero. Scaldare gli involtini al forno, con un po' di brodo. Mettere la fonduta sul fondo dei piatti; disporre al centro i crostini ben caldi e contornarli con i cavoli ripieni.

Sformato di cavolo

Ingredienti:
1/2 cavolo verza
1/2 cipolla bianca
2 foglie di alloro
Brodo
4 uova
200 g di panna
Foglioline di basilico
Olio extravergine di oliva
Sale e pepe
Burro
Fonduta

Mondare il cavolo di eventuali coste e tagliarlo a striscioline. Lasciarlo insaporire in padella con l'olio d'oliva, la cipolla tritata, le foglie di alloro, il sale e il pepe. Bagnare col brodo. Coprire e fare sobbollire a fuoco dolce per circa mezz'ora.

Porre a raffreddare e passare al frullatore. Unire al passato le uova, la panna e il basilico e amalgamare avendo cura che non ci siano grumi (oppure, passare al chinoise).

Ripartire il composto in quattro stampini da timballo imburrati e cuocere in forno a bagnomaria per 30 minuti (160°).

Sfornare e servire con fonduta valdostana.

Tortino di formaggi e barbabietole

Ingredienti:
200 g di robiola
200 g di mascarpone
200 g di ricotta
2 barbabietole rosse
1 spicchio d'aglio
Prezzemolo, basilico
3 cucchiai di olio extravergine di oliva
Sale e pepe

Amalgamare i tre formaggi aggiustando di sale e pepe. Affettare le barbabietole in dischi di 5 cm di diametro e 4 mm di spessore. Spalmarli con la crema dei formaggi e realizzare 4 tortini a strati. Irrorare con la salsina ottenuta passando al frullatore olio, aglio, prezzemolo, basilico, sale e pepe.

Peperoni con insalata tiepida di trippa

Ingredienti:
600 g di trippa
1/2 cipolla
Burro
1 bicchiere di vino bianco
Erba cipollina
2 pomodori freschi
2 peperoni rossi
2 peperoni gialli
Sale e pepe

Tagliare a julienne piuttosto fine la trippa già pulita e sbollentarla in acqua salata. Rosolarla, poi, in padella con burro, cipolla ed erba cipollina unendo il pomodoro fresco spellato e tritato a dadini e bagnare con vino bianco. Aggiustare di sale e pepe.

Arrostire i peperoni, pulirli e tagliarli a strisce. Intrecciarle a scacchiera, sul fondo dei piatti individuali, deponendo al centro la trippa con un cucchiaio del suo fondo di cottura.

Ravioli verdi di trota salmonata

Ingredienti:
Per la pasta verde:
500 g di farina bianca
3 uova
100 g di spinaci cotti e frullati con basilico e prezzemolo

Per il ripieno:
500 g di trote
1/2 cipolla
30 g di pangrattato
Sedano
Burro
Rosmarino, timo
Vino bianco
Sale e pepe

Soffriggere in padella, con il burro, le trote sfilettate, la cipolla a julienne e il sedano tritato. Salare e pepare. Bagnare con vino bianco.

Passare al passino fine e incorporare il pangrattato. Ripartire il composto sulla sfoglia e ricavare i ravioli nella forma desiderata. Condirli con burro fuso e un trito di timo e rosmarino.

Raviolo gratinato al tartufo bianco

Ingredienti:
Per la pasta da ravioli:
500 g di farina bianca
4 uova
6 tuorli
Sale

Per la farcia dei ravioli:
300 g di patate
400 g di funghi porcini
100 g di ricotta
2 tuorli d'uovo
50 g di parmigiano grattugiato
1 spicchio d'aglio
1 ciuffetto di prezzemolo tritato

Sale e pepe
Burro

Per il condimento:
1/4 di panna
50 g di parmigiano grattugiato
Tartufo bianco d'Alba
1 tuorlo d'uovo

Impastare la farina con le uova e il sale e ricavare la sfoglia da ravioli. Intanto mettere a bollire le patate. Schiacciarle.

In una padella trifolare i funghi con il burro, lo spicchio d'aglio e il prezzemolo. Eliminare l'eventuale eccesso di grasso. Passare al mixer patate, funghi, ricotta, tuorli e parmigiano e disporre il ripieno sulla pasta per il raviolo.

Ridurre a fuoco dolce la panna con il parmigiano e qualche lamella di tartufo. Emulsionare una parte della crema con un rosso d'uovo aggiustando di sale e pepe. Cuocere i ravioli in acqua salata. Metterli nei piatti individuali con le due salse. Gratinare in forno per 10 minuti. Completare con lamelle di tartufo e servire.

Spighe di piccione profumate al rosmarino

Ingredienti:
1,5 kg di piccioni
Cipolla, sedano, carota
Alloro, rosmarino
1 spicchio d'aglio
1 bicchiere di vino bianco
Burro
Brodo

Rosolare il piccione e gli odori tritati col burro. Bagnare con il vino bianco e infornare, dopo avere coperto con il brodo, per 35-40 minuti. A cottura ritirare i piccioni e spolparli. Passare al tritacarne e amalgamare il passato con parmigiano e uova.

Ripartire il composto sui ritagli di pasta formando tortelli a forma di spiga.

Raccogliere la carcassa dei piccioni e il fondo di cottura ripren-

Oggetti valdostani. (Collezione La Valdôtaine, St. Marcel)

dendo il tutto con vino bianco. Filtrare. Saltare in padella, con poco burro, una sottilissima julienne di sedano, carota e cipolla con un tritato di rosmarino.

Preparare una salsa bianca frullando burro, parmigiano grattugiato e acqua fredda.

Mettere la salsa sul fondo del piatto individuale. Disporre le spighe ripiene cotte in acque bollente salata con il fondo di cottura dei piccioni e guarnire con la julienne di verdure.

Petto di faraona farcito in crosta di patate

Ingredienti:
500 g di petto di faraona
100 g di salsiccetta
Scarti di faraona
1/2 cipolla
Burro
2 bicchieri di Marsala
La carcassa della faraona
1 litro di panna
1/2 carota
Prezzemolo
Sale e pepe

In una padella rosolare in un poco di cipolla tritata i ritagli di scarto della faraona e la salsiccia sbriciolata. Bagnare con un po' di Marsala e portare a cottura. Disporre la farcia sul petto della faraona ben disteso. Avvolgerlo strettamente in un foglio di carta stagnola. Cuocerlo al forno e scalopparlo.

Fare asciugare a fuoco dolce la carcassa di faraona, unire la carota e la cipolla tritate. Rosolare con del burro e bagnare con il Marsala. Versare la panna, lasciare sbollire lentamente. Passare al chinoise e tenere in caldo la salsa.

Per la crosta:
500 g di patate
Rosmarino, maggiorana, timo, estragone
2 tuorli d'uovo

Bollire le patate, spellarle e passarle. Amalgamarle con i tuorli e il trito di erbette aromatiche.

Coprire a specchio il fondo dei piatti individuali con il fondo ottenuto con la carcassa e i ritagli. Disporre le scaloppe di petto di faraona e coprirle con uno strato di purea di patate. Gratinare in forno per qualche minuto e servirlo con un budino di carote.

Per il budino:
300 g di carote
3 uova
1 litro di panna
Sale

Bollire le carote in acqua salata. Passarle e amalgamarle con le uova e la panna. Ripartire il composto in stampini individuali imburrati e cuocerli in forno a bagnomaria per 15-20 minuti (150°).

Intanto rosolare nei porri tagliati finemente, con il burro, una patata tagliata a cubetti. Versare il brodo, aggiungere le rape e portare a cottura aggiustando di sale. Passare il tutto ottenendo una crema con la quale accompagnare i budini di patate. Si può disporre la crema di rape a specchio sul fondo del piatto, oppure è possibile nappare i budini avendo cura, in ogni caso, di guarnire con ciuffetti di prezzemolo o di ruta.

Mangiare "alla valdostana"

Pochi altri prodotti possiedono la capacità di richiamare immediatamente alla memoria la zona di origine come la Fontina. Questo fa sì che in una ricetta la sola presenza del formaggio della piccola regione alpina induca alla convinzione di trovarsi di fronte a una tipica elaborazione valdostana. A parte le zuppe di Valpelline e di Cogne, gli accostamenti con la polenta, oltre a e qualche eccezione facilmente verificabile, sono ricette frutto della fantasia. Anche se questo conferma l'adattabilità della Fontina a svariati, gustosi impieghi. Assaporiamone alcune esempi, ricordando che il Consorzio di Tutela provvede a distribuire un apposito ricettario.

Crostini

Ingredienti:
Fette di pane raffermo private della crosta
Burro
Fettine di fontina
Fettine di prosciutto cotto
Parmigiano grattugiato
Farina
Latte
Noce moscata, pepe
Sale

Friggere nel burro le fette di pane; sgocciolarle e tenerle da parte. Tagliare la fontina e il prosciutto nelle dimensioni delle fette di pane. Sciogliere altro burro in una casseruola e aggiungere farina (evitando grumi) e latte. Mescolare bene e incorporare il parmigiano (fuori da fuoco). Spalmare la crema così ottenuta – profumata con la noce moscata e il pepe – sulle fette di pane e coprire col prosciutto e la fontina.

Sistemare i crostini in una pirofila e infornare per qualche minuto (fino a filatura della fontina).

Crostini con fonduta

Spalmare la fonduta valdostana su fettine di pane leggermente tostate e completare a piacere con: lamelle di tartufo bianco, prosciutto, uova sode, gorgonzola, peperoni arrostiti.

Crostini alla valdostana di Luigi Veronelli

Ingredienti:
6 fette di pane in cassetta private della crosta esterna, tagliate a metà e dorate di burro e olio
12 fette di prosciutto cotto
12 fette di fontina valdostana tagliate alle stesse dimensioni del pane
90 g di formaggio grana grattugiato fresco
60 g di farina bianca passata al setaccio
60 g di burro
1 bicchiere e 1/2 di latte tiepido
Noce moscata grattugiata
Sale

In una casseruola faccio sciogliere il burro; aggiungo la farina e il latte; mescolo bene per evitare grumi.

Condisco con sale; faccio cuocere a fuoco lento, sino a ottenere una crema molto densa.

Fuori dal fuoco aggiungo il formaggio grana. Mescolo con cura. Spalmo con la crema le fette di pane; le allineo in una pirofila; dispongo su ciascuna di esse, prima una fetta di prosciutto, poi una di fontina e, infine, le spolverizzo appena con la noce moscata. Passo la pirofila in forno a 200°, lascio cuocere 15 minuti circa, sino a ottenere una leggera crosticina sul formaggio fuso. Servo subito, ben caldo.

Vino consigliato: Donnaz, da uva nebbiolo dell'omonimo paesino valdostano. Bevilo di tre-quattro anni, a 20°.

Salsicce e patate

Ingredienti:
4 patate
1/2 cipolla
1 spicchio d'aglio
30 g di burro
2 fettine di lardo o pancetta tritate
4 salsicce non troppo grasse
Acqua o brodo

Rosolare bene le patate (pelate e lavate), tagliate a piccoli pezzi, con la cipolla, l'aglio, il burro e il lardo. Aggiungere le salsicce eventualmente sbriciolate. Coprire a filo con acqua tiepida (o brodo) e portare a cottura aggiustando di sale e pepe.

Gnocchi alla bava di fontina 1

Ingredienti:
Gnocchi di patate
Fontina
Burro

Disporre gli gnocchi – fatti cuocere in abbondante acqua salata – in una pirofila alternandoli e fettine di fontina. Mettere sullo strato superficiale qualche fiocchetto di burro e passare in forno ben caldo (190-200°) per 5 minuti.

Gnocchi alla bava di fontina 2

Ingredienti:
Gnocchi di patate
Fontina

Latte
Pepe, noce moscata

A fuoco dolce, mescolando, sciogliere la fontina nel latte; unire il pepe e la noce moscata. Mettere gli gnocchi – fatti cuocere in abbondante acqua salata – in una zuppiera; versare una buona parte del composto di latte e fontina e mescolare con cura. Servire e completare nei piatti individuali con la crema rimasta.

Passatelli con fonduta e tartufo bianco di acqualagna

Ingredienti:

Per i passatelli:
200 g parmigiano grattugiato
100 g pangrattato
2 uova
Scorza grattugiata di 1/2 limone
Noce moscata
Sale
Burro
Parmigiano
Fonduta di fontina valdostana

Impastare i passatelli e cuocerli in abbondante acqua salata. Scolarli e saltarli in padella con burro e parmigiano. Stendere a specchio la fonduta sul fondo dei piatti individuali. Adagiarvi sopra i passatelli e completare con lamelle di tartufo bianco.

Ricetta del Symposium di Cartoceto.

Ravioli alla fonduta

Preparare la classica fonduta e lasciarla raffreddare. Prelevarne delle piccole porzioni e sistemare sulla sfoglia da ravioli. Provare, magari, anche con la pasta verde. Cuocere i ravioli e condirli con burro fuso e lamelle di tartufo bianco d'Alba oppure sugo d'arrosto, prima di completare con i tartufi.

Gnocchi di zucca

Ingredienti per 6 persone:
1 kg di zucca
200 g di farina
50 g fecola di patate
300 g di parmigiano
3 uova
1 cucchiaino di cannella
Noce moscata
Sale

Per il condimento:
Burro
Brandy
500 g di funghi porcini
600 g vellutata
1 cucchiaino di parmigiano

Asciugare in forno la polpa della zucca. Passarla al setaccio e lasciarla sgocciolare bene. Raccogliere la crema in una ciotola con gli altri ingredienti (per ultime le uova). Lavorare il tutto. L'impasto dovrà assumere la consistenza della ricotta. Con l'apposita sacca ricavare gli gnocchi direttamente nella pentola con l'acqua a bollore. Appena gli gnocchi vengono in superficie toglierli con la schiumarola. In una padella, con olio d'oliva, rosolare i funghi a fettine. Bagnare col brandy. Versare la vellutata e il parmigiano. Mettere gli gnocchi con cura, unire lamelle di fontina e, nel caso, tartufo bianco. Servire.

Ricetta di Maria Teresa Salli Dez del ristorante "La Pettegola" della Spezia.

Da un po' di tempo, la ristorazione valdostana propone come "tipici" i ravioli di patate e funghi. Si tratta di una innovazione recente.

Ravioli di patate e porcini

Ingredienti:

Per la pasta:
500 g farina
4 tuorli
2 uova

Per la farcia:
300 g di funghi
200 g di patate
60 g di parmigiano grattugiato
3 foglie di basilico
1 spicchio d'aglio intero
1 ciuffo di prezzemolo tritato
1/2 cipolla
Burro

Per la salsa:
300 g di parmigiano
150 g di burro
250 cc d'acqua

Impastare gli ingredienti per la sfoglia fino a ottenere una pasta liscia e compatta. In una padella, con burro, fare sudare la cipolla tritata finemente e insaporire con l'aglio (toglierlo dopo un minuto). Unire i funghi tagliati, il basilico e il prezzemolo. Aggiungere le patate già bollite (con la buccia) e spellate e tagliate a pezzetti. Mescolare e proseguire la cottura per 4 minuti. Passare tutto al tritacarne con il disco fine e amalgamare il parmigiano. Aggiustare di sale e pepe e lasciare riposare al fresco per circa 1/2 ora. Con il ripieno preparare i ravioli nel modo consueto. Cuocerli in abbondante acqua salata e condirli con la salsa ottenuta frullando parmigiano grattugiato, burro e acqua.

Ricetta di Alfio Fascendini del ristorante "Vecchio Ristoro" di Aosta.

Ravioli di cavolfiore e sanguinacci alla crema di formaggio e mela

Ingredienti:
Per la pasta:
200 g di farina di grano duro
1/2 cucchiaio di olio extravergine di oliva
Un po' di latte
Sale

Impastare gli ingredienti sulla spianatoia fino a ottenere un composto liscio e morbido. Lasciare riposare e ricavarne, poi, la sfoglia nel modo consueto.

Per il ripieno:
200 g di cavolfiore
200 g di sanguinaccio
1 scalogno
100 g di ricotta fresca
50 g di parmigiano grattugiato
1/2 bicchiere di latte
2 cucchiai d'olio extravergine di oliva
Sale e pepe

Sbollentare il cavolfiore in acqua salata. Scolarlo e tagliarlo a pezzetti. Rosolarlo con lo scalogno e un poco di olio d'oliva. Bagnare con il latte e cuocere a fuoco sostenuto per qualche minuto. A parte, sbriciolare il sanguinaccio e scottarlo in un poco di olio d'oliva.

Sgocciolare il cavolfiore dell'eccesso di latte e riunirlo in un mixer con sanguinaccio, ricotta e parmigiano. Frullare aggiustando di sale e pepe. Ripartire il ripieno sulla sfoglia e preparare i ravioli. Cuocerli in acqua salata e condirli con la crema.

Per la crema di formaggio e mele:
200 ml di latte
Fontina e toma
1 mela
Burro fuso
Vino bianco
Sale

Cuocere la mela nel vino bianco e passarla al setaccio. Scaldare il latte e fare fondere i formaggi tagliati a cubetti. Amalgamare con la crema di mele e aggiustare di sale. Cospargere sui ravioli un po' di burro fuso e condire con la crema di latte, formaggio e mela.

Ricetta di Gianni D'Amato del ristorante "Il Rigoletto" di Aulla (MS).

Tortino di orzo perlato in foglie di verza

Ingredienti:
120 g di orzo
4 foglie di verza
200 g di toma
Fonduta valdostana
Brodo
1 cucchiaio di porro tritato
2 rametti di cerfoglio
3 cucchiai d'olio extravergine di oliva
Burro per gli stampi
Sale e pepe

Portare l'orzo a metà cottura in acqua salata. In un tegame da risotti rosolare il porro nell'olio d'oliva. Unire l'orzo – bene scolato – e portarlo a cottura col brodo. Lasciarlo raffreddare. Aggiungervi metà della toma tagliata a cubetti e mescolare. Imburrare quattro stampini e foderarli all'interno con le foglie di verza sbollentate, sgocciolate e asciugate. Deporre sul fondo pezzetti della toma rimasta e completare con la mescolanza di orzo e formaggio aggiustati di sale e pepe. Sigillare con le foglie di verza. Cuocere in forno per 10-15 minuti.

Stendere a specchio la fonduta profumata al cerfoglio sul fondo dei piatti individuali caldi e sformare i tortini. Decorare con una rosetta di pomodoro e un rametto di cerfoglio.

Ricetta di Gianni D'Amato del ristorante "Il Rigoletto" di Aulla (MS).

Ventagli di gallina in crema di broccoli

Ingredienti:
Mezza gallina
2 carote
2 cipolle
1 gambo di sedano
1 pomodoro
1 ciuffetto di sedano
1 manciata di parmigiano
1 uovo
20 g di tartufo nero (facoltativo)
Sale, pepe e noce moscata
Pasta per i ravioli

Per la crema:
1/2 litro di brodo di gallina
300 g di broccoli lessati
1 patata
2 cucchiai di panna
Basilico, prezzemolo, erba cipollina

Far bollire la coscia di gallina e la carcassa con una carota, una cipolla, mezzo sedano e il pomodoro. In una padella far soffriggere con un po' di burro la rimanente carota, il sedano e la cipolla. Aggiungere il petto di gallina tagliato a pezzi e cuocere adagio per circa 15-20 minuti. Disossare la coscia, aggiungerla a quanto prima cotto e passare il tutto al tritacarne; al tritato aggiungere il parmigiano, l'uovo e il tartufo bianco tagliato a cubetti, sale, pepe, noce moscata e amalgamare il tutto. Tirare la pasta, ricavare dei piccoli cerchi dove verrà posto il ripieno e richiudere a mezza luna con pieghe.

Per la crema
Cuocere la patata tagliata a pezzi nel brodo di gallina sgrassato; aggiungere i broccoli tagliati fini e precedentemente lessati e le erbe aromatiche, frullare il tutto, aggiungere la panna. Cuocere in acqua salata i ventagli di gallina e servirli con crema di verdura.

Ricetta di Mary Barale del Rododendro di Boves.

Oggetti valdostani. (Collezione La Valdôtaine, St. Marcel)

Porcini, tartufi e fontina

Ingredienti:
Cappelle di porcini crudi a lamelle
Fontina dolce
Fontina stagionata
Olio extravergine di oliva
Qualche goccia di limone
Sale e pepe
Prezzemolo

In una zuppiera disporre cubetti di fontina e lamelle di porcini, olio e prezzemolo, limone, sale e pepe. Lasciare riposare mezz'ora. Ripartire in piatti individuali e completare con lamelle di tartufo bianco.

Costolette alla valdostana

Ingredienti:
4 costolette con l'osso
4 fette di fontina
Lamelle di tartufo bianco
Sale
Farina di frumento
1 uovo sbattuto
Pangrattato
Burro per friggere

Incidere le costolette – lasciandole attaccare all'osso – e farcirle con la fontina e il tartufo. Salare e infarinare leggermente. Passare le costolette prima nell'uovo e poi nel pangrattato e farle dorare nel burro.

Portafoglio alla valdostana

Ingredienti:
8 fette di fesa di vitello
8 fette di prosciutto cotto
8 fettine di fontina (di misura inferiore alla carne)
Sale
Farina
2 uova battute
Pangrattato
Burro per friggere

Sulle fette di carne ben battute sistemare il prosciutto e la fontina e richiuderle a portafoglio premendo con cura sui bordi. Salare e infarinare leggermente. Passare i portafogli nell'uovo e pangrattato e farli dorare nel burro.

Pennette ai funghi porcini

Ingredienti:
350 g di pennette

40 g di Fontina a listarelle
Funghi porcini trifolati al burro

Scolare le pennette cotte al dente e metterle in padella con il formaggio. Mescolare, lasciare riposare qualche secondo e aggiungere i funghi. Mescolare e servire.

Lasagne al forno

Ingredienti:
350 g di lasagne
100 g di Fontina
Besciamella
Funghi porcini trifolati al burro
Burro
Pepe

Scolare le lasagne e disporne uno strato sul fondo imburrato di una pirofila. Distribuire un velo di besciamella un po' fluida e dei funghi, completare con formaggio tagliato a listarelle e formare altri strati fino a esaurire gli ingredienti. Cospargere in superficie, sui funghi, qualche ricciolo di burro e mettere in forno (180°-190°) per 10 minuti.

Penne al prosciutto e salsiccia

Ingredienti:
350 g di penne
100 g di prosciutto cotto
100 g di salsiccia
100 g di Fontina
1 ciuffo di prezzemolo tritato
Burro

Scolare le penne cotte al dente e disporne uno strato sul fondo imburrato di una pirofila. Distribuire pezzetti di prosciutto, briciole di salsiccia e cubetti di Fontina. Cospargere il prezzemolo e proseguire fino a esaurire gli ingredienti. Completare con riccioli di burro in superficie e mettere in forno (180°-190°) per 10 minuti.

Cannelloni con prosciutto e funghi porcini

Ingredienti:
16 cannelloni di magro
100 g di Fontina a fettine
100 g di prosciutto cotto
2 cappelle di funghi porcini
1 ciuffo di prezzemolo
Pepe
Burro

Disporre i cannelloni sul fondo di una pirofila imburrata e coprirli con il prosciutto e la fontina. Con il tagliatartufi ridurre a lamelle i funghi crudi e completare con il prezzemolo tritato, il pepe e qualche ricciolo di burro. Mettere in forno (180-190°) per 35 minuti.

Tortelli gratinati

Ingredienti:
400 g di tortelli di magro
100 g di salsiccia
100 g di Fontina
Burro

Scolare i tortelli cotti al dente e versarli in una pirofila imburrate. Coprire con la salsiccia sbriciolata, il formaggio a listarelle e riccioli di burro. Mettere in forno (180-190°) per 10 minuti.

Tortelli di patate

Ingredienti:
400 g di tortelli di patate
100 g di fontina a listarelle

Funghi porcini trifolati al burro
Burro

Scolare i tortelli cotti al dente e passarli in padella con la Fontina, a fuoco dolce, per qualche secondo. Unire il burro e i funghi. Mescolare e servire aggiustando di pepe.

Patate e prosciutto

Ingredienti:
3 patate
100 g di prosciutto cotto
100 g di Fontina
1/2 spicchio d'aglio
1 ciuffetto di prezzemolo
Pepe
Sale
Burro

Lessare e spellare le patate e tagliarle a fettine. Disporle sul fondo di una teglia imburrate e coprirle con il prosciutto a pezzetti, la fontina tagliata a listarelle e l'aglio e il prezzemolo tritati. Aggiustare di sale e pepe; aggiungere riccioli di burro e mettere in forno (180-190°) per 10-12 minuti.

Focaccia

Ingredienti:
Pasta lievitata (da pane)
Prosciutto crudo
Fontina

Stendere una sfoglia di pasta sul fondo di una teglia irrorato di olio d'oliva. Coprire con fette di Fontina e di prosciutto. Coprire con un'altra sfoglia. Praticare dei fori in superficie con i rebbi di una forchetta. Ungere con olio d'oliva e mettere inforno (180-190°) per 35-40 minuti.

Patate e funghi (mazze di tamburo)

Ingredienti:
3 patate
100 g di Fontina
4 cappelle di mazze di tamburo
1/2 spicchio d'aglio
1 ciuffetto di prezzemolo
Sale
Pepe
Burro

Lessare le patate, spellarle e tagliarle a fettine. Disporle sul fondo imburrato di una teglia da forno e coprirle con la Fontina tagliata a listarelle e le cappelle dei funghi. Cospargere con l'aglio e il prezzemolo tritati; aggiustare di sale e pepe e completare con riccioli di burro. Mettere in forno (180°) per 15 minuti.

Patate al forno

Ingredienti:
4 patate
Fontina
Burro
Noce moscata
Sale
Pepe

Bollire le patate con la pelle. Spellarle e tagliarle a fettine. Sistemarle in una teglia da forno imburrata (oppure in una pirofila) e coprirle di Fontina. Aggiustare di sale e pepe, completare con un poco di noce moscata. Infornare per qualche minuto.

Ramequin di formaggio

Ingredienti per 6 persone:
Per la pasta brisè:
200 g di farina

100 g di burro
1 pizzico di sale
Acqua quanto basta

Per il ripieno:
300 g di fontina
200 g di panna
3 uova intere
Sale, pepe e noce moscata

Preparare la pasta brisè con la farina, il burro e il sale aggiungendo acqua fino a ottenere un impasto lavorabile con il mattarello. Stendere la pasta e foderarvi uno stampo da torte. Ricoprirla di carta oleata con dentro fagioli secchi affinché la pasta non si gonfi. Cuocere in forno a 170° per qualche minuto.

Preparare il ripieno tritando la fontina, aggiungendo panna e uova, sale pepe e noce moscata, amalgamare bene e riempire la pasta brisè. Rimettere tutto in forno per 20 minuti circa.

Ricetta di Mary Barale del "Rododendro" di Boves.

Cappella di funghi porcini in foglia di castagno

Ingredienti:
4 cappelle di fungo porcino
1 gambo di fungo porcino
3 cucchiai di panna
1 spicchio d'aglio
1 ciuffetto di prezzemolo
1 cucchiaio di sugo d'arrosto
1 tartufo di circa 50 g
Sale e pepe

In una padella di ferro, ben calda, adagiare le foglie di castagno con sopra le cappelle di funghi precedentemente condite con un goccio d'olio, sale e pepe; coprire e passare in forno per 15 minuti circa a 200°, a cottura ultimata disporle su un piatto, ricoprirle di salsa e servire subito.

Per la salsa

Cuocere il gambo del porcino con un cucchiaio d'olio, uno spicchio d'aglio e aggiungere tre cucchiai di panna, un ciuffetto di prezzemolo, il sugo d'arrosto e il tartufo, frullare il tutto e coprire i funghi già cotti.

Ricetta di Mary Barale del "Rododendro" di Boves.

* * *

Carne rifatta alla valdostana

Ingredienti:
4 fette di carne di vitello
1 uovo battuto
Pangrattato
4 fette di prosciutto cotto
4 fette di Fontina
Sale e pepe
Olio d'oliva (o burro) per friggere

Impanare e friggere le fette di carne. Sgocciolarle del grasso di cottura in eccesso. Adagiarle in una teglia da forno. Ricoprirle prima con il prosciutto cotto e poi con la fontina. Salare e pepare e passare in forno per 5 minuti a 180°.

Confrontiamo le ricette precedenti con quelle pubblicate il 15 dicembre 1929 sul primo numero della rivista *La cucina italiana.*

Braciole alla libica e in altre saporite trasformazioni

"Cercate bracioline di carne tenera: immergetele nell'uovo, sovrapponendo a ogni braciolina una fette di prosciutto grasso e magro della stessa dimensione. Ricopritele di pane grattato, facendo aderire alle braciole il prosciutto; non mettete sale e fate rosolare nel burro dalla parte dove è il prosciutto. Distendete poi sul prosciutto alcune fette molto sottili di parmigiano e finite di cuocere col fuoco sopra. Prima di servire, vi getterete sugo di pomodoro."

* * *

Ramequins

(Dal *Cuoco piemontese perfezionato a Parigi*)

"Per quest'effetto mettete un buon pezzo di formaggio che voi romperete in una casseruola con un pezzo di butirro do peso quattr'once circa, un quartino di acqua fredda o calda, pochissime sale e un'acciuga trita; fate bollire tutto insieme e mettete tanto di farina quanto la salsa ne potrà ricevere, fatela disseccare sopra il fuoco finché la pasta sia ben spessa, mettetela poscia in un'altra casseruola per stemperarvi dentro gli uovi, quanti la pasta ne potrà portare senza essere liquida; bisogna che questa pasta si sostenga versandola dal cucchiaio senza colare; aggiusterete questa pasta in piccoli pezzi dalla grossezza d'un uovo di piccione sopra un piatto profondo e fateli cuocere al forno. Per essere ben fatti bisogna che i ramequins siano leggeri e di un bel colore."

Filetto con fontina e funghi porcini

Ingredienti:
4 fette di filetto di manzo
4 fette di fontina
350 g di porcini (già trifolati)
1/2 cipolla bianca
Burro
1/2 bicchiere di vino bianco
1 spicchio d'aglio
Sale e pepe

In una padella scaldare il burro e soffriggere la cipolla tritata finemente e lo spicchio d'aglio intero (da togliere dopo un minuto). Mettete le fette di filetto a cuocere un minuto per parte. Spruzzate un po' di vino bianco e alzare la fiamma. Togliere la carne dal fuoco e fate restringere il fondo di cottura (passarlo eventualmente al setaccio) e rimetterlo al fuoco. Sui filetti disporre i funghi e coprirli con la Fontina. Aggiustate di sale e pepe e ultimate la cottura (la Fontina inizia a filare); completate, magari, con qualche lamella di tartufo.

Due ricette di Nino Bergese:

Timballini di riso alla valdostana

Preparare un risotto comune senza formaggio. Riempire la timballine leggermente imburrate; lasciare rapprendere per 5 minuti; sfornare su piatti individuali. Guarnire con un cucchiaio abbondante di fonduta e con lamelle di tartufo o con una julienne finissima di lingua scarlatta.

Stecchi fritti di polenta e fontina

Infilzare su stecchini di legno lunghi una decina di centimetri, medaglioni di polenta e Fontina alternati (circa 5 cm di diametro). Passarli nell'uovo sbattuto e nel pane grattugiato, friggerli in olio abbondante ben caldo. Sgocciolarli dorati e croccanti, passarli su un panno o su una carta assorbente per eliminare l'eccesso di unto. Spolverarli di sale, servirli caldissimi – come minestra – su un piatto di portata rotondo coperto di carta a pizzo.

Crespelle

Ingredienti:
4 crespelle
4 fette di prosciutto cotto
4 fette di Fontina
Burro
Besciamella
Sale e pepe

Disporre il prosciutto e la Fontina sulle crespelle. Piegarle e sistemarle in una teglia da forno imburrata. Coprire con la besciamella e qualche ricciolo di burro. Aggiustate di sale e pepe e gratinare in forno per 15 minuti (180°).

Frittelle di topinambur con fonduta e tartufi

Ingredienti:
Dosi per 6 persone:
500 g di topinambur sbucciati
3 cucchiai di farina
3 uova intere
4 bianchi d'uovo
3 cucchiai di panna
Sale, pepe, noce moscata
50 g di tartufo bianco d'Alba
4 cucchiai di fonduta

Cuocere i topinambur in acqua salata, scolare e passare al setaccio. Lasciare intiepidire e aggiungere la farina e le uova una alla volta, unire i bianchi d'uovo, la panna, sale, pepe e noce moscata. Cuocere in padella con burro chiarificato; servire disponendo sul piatto un po' di fonduta e la frittella ricoperta di tartufo.

Ricetta di Mary Barale del "Rododendro" di Boves.

I dolci

Torcetti

Ingredienti:
500 g di farina bianca
100 g di zucchero
Acqua tiepida
Lievito di birra
Sale
100 g di burro

Impastare la farina e lo zucchero con l'acqua tiepida e unire il lievito di birra e un pizzico di sale. Lasciare riposare. Amalgamare con il burro ammorbidito. Lasciare riposare un'altra ora. Riprendere il composto e lavorarlo. Ricavare dei bastoncini rotondi di 10-12 cm. Ripiegarli e incollare appena le due estremità formando delle ciambelline. Cuocere in forno a 180° per 35-40 minuti.

Biscotti tipici di Saint-Vincent; in altre regioni del centro Italia biscotti molto simili si chiamano "tozzetti" (contengono mandorle o nocciole).

Tegole di Aosta

Sottilissime, del diametro di circa 5-6 cm, le tegole sono eccellenti sia da sole sia come ideale complemento di creme e gelati. Da qualche anno, inoltre, sono diventate un piacevole souvenir al pari della fontina e del génépy. La loro produzione ebbe inizio nei primi anni trenta, come autentica novità, grazie all'intraprendenza di due giovani e abili pasticcieri aostani che avrebbero importato una ricetta francese.

Gli ingredienti: mandorle dolci (e qualcuna amara), nocciole, zucchero, albume d'uovo e una piccola parte di farina di frumento, sembrano essere in tutto e per tutto quelli degli amaretti. Cuociono in forno per circa un quarto d'ora, ma sarebbe meglio precisare che le tegole "asciugano" perché non contenendo grassi e quindi non hanno bisogno di alte temperature di trasformazione.

Appena estratte dal forno possono essere sistemate su una superficie cilindrica (come il mattarello) per fare loro assumere la caratteristica curvatura delle tegole di terracotta. L'operazione richiede pochi secondi, ma sta cadendo in disuso per il costo della mano d'opera.

Per provare a farle in casa, tritare finemente mandorle e nocciole, mescolare bene con lo zucchero, unire la farina (1/5 del peso all'incirca) e le chiare d'uovo leggermente battute. Lavorare con cura l'impasto, che dovrà restare fluido. Imburrare una placca da forno e stendere il composto il più possibile, fino a dargli uno spessore di pochissimi millimetri. Mettere in forno a 170-180° per 3-4 minuti. Ritirare dal forno e con uno stampino ricavare i dischi della classica dimensione. Porre nuovamente in forno per completare la cottura. Conservare le tegole in luogo fresco e molto asciutto. Servirle con Moscato passito o Sciacchetrà.

Fiocca

Panna montata con zucchero e qualche goccia di grappa. Facoltativa l'aggiunta di pezzetti di cioccolato fondente. Servire con cialde o tegole di Aosta.

Torta di mele

Ingredienti:
Fette di pane raffermo
3 mole renette
Burro

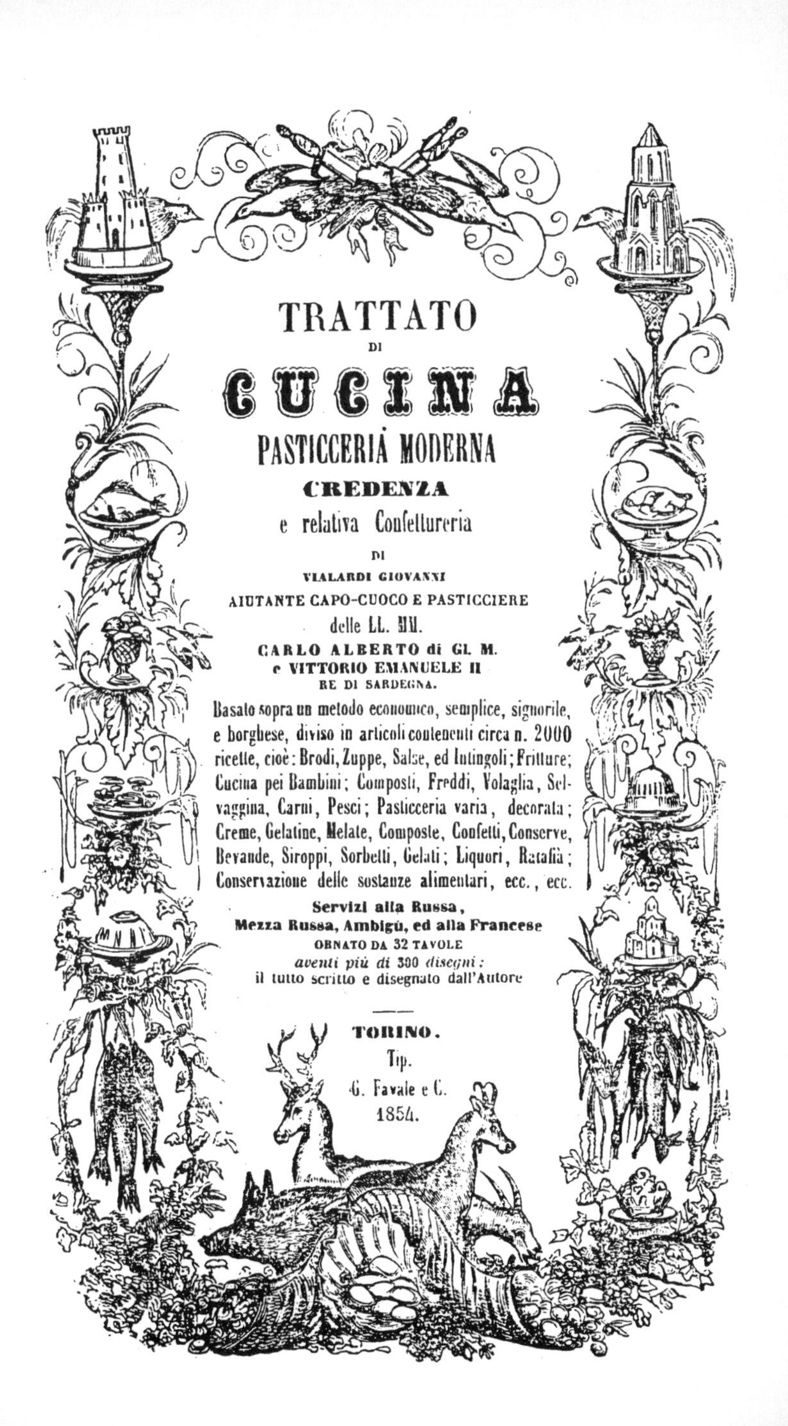

TRATTATO
DI
CUCINA
PASTICCERIA MODERNA
CREDENZA

e relativa Confettureria

DI

VIALARDI GIOVANNI

AIUTANTE CAPO-CUOCO E PASTICCIERE

delle LL. MM.

CARLO ALBERTO di Gl. M.

e VITTORIO EMANUELE II

RE DI SARDEGNA.

Basato sopra un metodo economico, semplice, signorile, e borghese, diviso in articoli contenenti circa n. 2000 ricette, cioè: Brodi, Zuppe, Salse, ed Intingoli; Fritture; Cucina pei Bambini; Composti, Freddi, Volaglia, Selvaggina, Carni, Pesci; Pasticceria varia, decorata; Creme, Gelatine, Melate, Composte, Confetti, Conserve, Bevande, Siroppi, Sorbetti, Gelati; Liquori, Ratafià; Conservazione delle sostanze alimentari, ecc., ecc.

Servizi alla Russa,

Mezza Russa, Ambigù, ed alla Francese

ORNATO DA 32 TAVOLE

aventi più di 300 disegni;

il tutto scritto e disegnato dall'Autore

TORINO.

Tip.

G. Favale e C.

1854.

1/2 litro di latte
200 g di zucchero
2 uova

In una padella scottare le mele, tagliate a spicchi, nel burro. Sgocciolarle del grasso in eccesso. Lavorare le uova con lo zucchero e diluire con il latte. In una pirofila sistemare le fette di pane e ricoprirle con le mele. Stendere un altro strato di pane e versare il composto zuccherato. Cuocere in forno a 200° per circa 40 minuti.

Ricetta raccolta da Stella Donati per *Civiltà del bere*.

Torta di noci

Ingredienti:
250 g di zucchero
150 g di burro
200 g di noci tritate
5 uova
250 g di farina bianca
Scorza di limone grattugiata
Sale
Zucchero a velo

Lavorare bene lo zucchero con il burro ammorbidito. Unire i tuorli d'uovo, farina e noci e amalgamare con cura. Mettere la scorza di limone e un pizzico di sale. Incorporare delicatamente all'impasto gli albumi montati a neve ben ferma. Imburrare una teglia e cuocere in forno a 180° per 40 minuti. Servire con panna montata (e un cucchiaino di grappa) e granella di cioccolato fondente dopo aver cosparso il dolce di zucchero a velo.

Con tutte le possibili varianti, la torta di noci è diffusa nella zona di Courmayeur.

Monte Bianco

Ingredienti:
1 kg di marroni

Latte
Zucchero
1 stecca di vaniglia
1 bicchierino di rum
Panna
Marron glacés
Violette candite

Bollire i marroni in acqua salata. Privarli della buccia e spellarli; metterli a cuocere coprendoli a filo con il latte zuccherato e la stecca di vaniglia. Dopo circa 45 minuti passarli al setaccio (o allo schiacciapatate), aromatizzarli con il rum dopo avere tolto la vaniglia. Raccogliere la purea di castagne in un vassoio di portata dandole la forma di montagna. Mettere in frigorifero. Al momento di servire, sistemare la panna montata sul "Monte Bianco" e decorare con marron glacés e violette.

Castagne alla grappa

Pulire bene le caldarroste che non siano troppo bruciacchiate. Sistemarle in una teglia e cospargerle di zucchero semolato. Bagnarle con della buona grappa non aromatizzata. Avvicinare un fiammifero allo zucchero irrorato di alcool; si svilupperanno delle fiammelle azzurrine che nell'immaginario della bassa valle – dove la coltivazione delle castagne costituiva una risorsa – richiamavano alla memoria i defunti. Le castagne, in effetti, anche in altre zone d'Italia sono in qualche modo collegate al mito dei morti. A Castelnuovo Magra, per esempio, il 2 novembre i ragazzi indossavano una collana di frutti bolliti nell'acqua con foglie di alloro.

Zuppa di mandorle valgrisenche

Ingredienti:
100 g di mandorle spellata
1/2 litro di acqua tiepida o latte
100 g di zucchero

Fette di pane
Burro
Cannella
Chiodi di garofano

Pestare le mandorle e versarvi il latte e lo zucchero. Aggiungere la cannella. Friggere le fette di pane nel burro e sistemarle in una taglia da forno. Coprire con il latte di mandorle e cuocere in forno a 200° per 15-20 minuti.
L'insolito dolce è servito in Valgrisanche nel periodo delle feste di Natale.

La "zuppa" di mandorle della Valgrisache fornisce un'ulteriore pretesto per collegare alcune ricette valdostane a un filone più squisitamente piemontese. Di seguito, appunto, le ricette de *Il cuoco piemontese perfezionato a Parigi* e di Giovanni Vialardi.

Zuppa al latte d'amandorle

Prendete una mezza libra d'amandorle dolci, le quali metterete al fuoco nell'acqua quando è vicina a bollire, ritirate subito le vostre amandorle per togliere loro la pelle gettandole a misura che sono pellate nell'acqua fresca, poscia asciugare che sono pestatele in un mortaio di pietra, bagnandole di tanto in tanto d'un cucchiaio d'acqua, per timore che non si riducano in olio; mettete in una casseruola una pinta d'acqua, un poco di zuccaro, pochissimo sale e cannella, corriandro un sesto di citrone, fate bollire quest'acqua col resto al fuoco circa un quarto d'ora e servitevi per passare le vostre amandorle in un panno di lino premendolo spesso con un cucchiaio di legno; prendete poscia il piatto che dovrete servire e mettetegli sopra del pane tagliato e secco e versatevi il latte d'amandorle più caldo che potrete; se volete il latte d'amandorle più semplice, passatelo semplicemente all'acqua fresca e mettetegli il zucchero e poco sale.

Zuppa al latte di mandorle, di digiuno

Mettete in un tegame 4 ettogr. di mandorle dolci con 10 mandorle amare, nell'acqua bollente, cotte 6 minuti, scolate l'acqua, strisciate entro uno strofinaccio di tela nuovo, e ciò fa sì che puossi levare tutta la pelle, e pulite bene, pestatele nel mortaio spruzzandole con acqua, ode non facciano l'olio, e quando sono ben pestate, versate nel mortajo un litro d'acqua, e mischiate bene, passate il latte alla tovaglia, premendola bene in due, affinché passi tutto il latte, e restino le mandorle asciutte, fate scaldare il latte sul fuoco con 2 ettogr. zucchero in polvere, e un pizzico di sale, versatelo nella zuppiera con dei crostini di pane di semola secchi e tagliati a soldi. Si può invece dei crostini mettere del riso, o pastine cotte con acqua e sale, sgocciolate e messe col latte di mandorle, e si può pure darle il gusto della cannella, al limone, alla fior di melarancio, alla vaniglia ecc.

La seconda fa riferimento al digiuno, forse al digiuno previsto per la vigilia di una festa importante. Può essere che sia stata preparate la prima volta, in Valgrisanche, dai cuochi di un nobile dei Savoia giunto qui per trascorrervi il periodo di caccia.

Certo è che a partire dal Medio Evo compaiono diverse versioni del "blanc manger", bianco mangiare. All'origine, non si tratta di una sostanza dolce: sono di un candido bianco, infatti, il petto di pollo e il lardo, il pesce e il riso. Ricette di "blanc manger", nelle diverse epoche, figurano in numerosi paesi europei. Il termine "blanc" sarebbe di origine francese e risalirebbe al XII secolo.

Il bianco è il colore della purezza, nella simbologia che, per motivi storici, ci è più familiare. I cibi bianchi, allora, non erano contaminati dal sangue, elemento portatore di molti messaggi, ma anche di degenerazioni organiche. Il cibo, dunque, ha un suo specifico linguaggio che va oltre il gusto. Ora con "blanc manger" generalmente si intende generalmente, in Valle d'Aosta, quella che altrove è la panna cotta.

Castance

NAture c. i. i. s. i. 2. Melius ex eis marones de briança bene maturi. Iuuamentum mouent coytũ & multum nutriunt. Nocumentum inflant & dolorem capitis faciunt. Remotio nocumenti cocte in aqua.

Castagne.

Blanc manger

Buttare nell'acqua bollente una libbra di mandorle dolci e una ventina di mandorle amare. Dopo averle pulite mettetele in una terrina di acqua fresca e lasciatele a bagno per tutta una notte. Estraete le mandorle, asciugatele e pestatele nel mortaio bagnandole con acqua per evitare che prendano il gusto di olio. Pestate, versatele in una scodella con cinque bicchieri d'acqua. Filtrate tutto con un panno e strizzate bene. Aggiungete all'impasto dodici once di zucchero cristallizzato. Mescolare e filtrare. Si ottiene così, il latte di mandorle al quale si aggiunge colla di pesce fatta sciogliere. Versare il composto in uno stampo e lasciare rapprendere.

Ricetta raccolta da Luciana Faletto Landi.

Crema di Cogne

Ingredienti:
1 litro di latte
1/2 litro di panna da dolci
8 tuorli
300 g di zucchero
Cacao amaro

Lavorare le uova con lo zucchero e unire gli altri ingredienti. Mettere al fuoco e mescolare bene senza fare bollire. Lasciare raffreddare e servire con tegole di Aosta.

Sulla ricetta di base possono essere apportate numerose varianti. C'è chi unisce qualche goccia di grappa; altri aggiungono cioccolato fondente o zucchero caramellato. Qualcuno preferisce non mettere il cacao. È sorprendente confrontare questa preparazione con la seguente ricetta tratta da *Il cuoco piemontese perfezionato a Parigi*. Giova ricordare che il cioccolato, il famoso "brodo indiano", cominciò a essere diffuso i Europa proprio verso la fine del XVIII secolo, soprattutto tra i ricchi.

Crema al cioccolato

Raschiate alquanto di cioccolato, mettendolo in una casseruola con un'oncia e mezza di zuccaro, un boccale di latte, un quartino di crema; fate bollire dolcemente finché sia diminuito del terzo: ritiratela dal fuoco, quando sarà mezzo freddo stemperatevi cinque rossi d'uova, indi passatela alla stamigna e fatela rapprendere a bagnomaria, come la precedente.

Crema di Cogne del "bellevue"

Ingredienti:
2 uova
1/2 litro di panna liquida
1/2 litro di latte intero
4 cucchiai di qucchero
5 mandorle amare
8 mandorle dolci
100 g di cioccolato gianduja

Schiacciare, spellare e pestare finemente le mandorle. Farle cuocere nel latte, senza fare bollire, per 20 minuti. Passare al colino togliendo la pasta di mandorle. Lavorare bene metà dello zucchero con le uova ottenendo un composto denso. Aggiungere al composto la panna e il latte tiepido. Mescolare con cura con un cucchiaio di legno. Mettere al fuoco, a fiamma dolcissima, fino a incipiente bollore, incorporando il cioccolato a scaglie. A parte, portare allo stato di caramello il rimanente zucchero e aggiungerlo alla crema. Mescolare lasciando raffreddare. La crema va servita fredda.

Ricetta dell'albergo-ristorante "Bellevue" di Cogne.

Frittelle di patate e mele

Ingredienti:
Per la pasta:
1 kg di farina bianca

4 uova
150 g di burro
6 patate (non troppo grosse)
Vaniglina
Sale

Bollire le patate con la buccia. Spellarle e passarle. Fare ammollare il burro. Impastare il tutto fino a ottenere, con l'aggiunta di un po' d'acqua, un impasto abbastanza elastico. Lasciare riposare per una mezz'ora. Stendere la pasta su una spianatoia e con uno stampino – o un bicchiere – ricavare dei dischi non troppo spessi.

Per la farcia:
4 mele renette
Vino rosso valdostano
100 g di zucchero
Cannella

Tagliare le mele a pezzetti e porle a macerare con lo zucchero e il vino. Profumare con un po' di cannella. Mettere al fuoco per qualche minuto per ottenere una crema non troppo fluida.

Per friggere:
Olio extravergine di oliva
Zucchero

Disporre la crema di mele sui dischi di pasta; coprire con altri dischi e sigillare i bordi (come si usa per i ravioli). Friggere, pochi per volta, in olio d'oliva caldissimo. Asciugare le frittelle e cospargerle di zucchero (a velo o semolato, a piacere).

Ricetta di Franco Zublena della "Valdotaine" di Saint-Marcel.

La grolla e la coppa dell'amicizia

Di solito, il turista frettoloso è portato a confondere il significato e l'uso della grolla e della coppa detta dell'amicizia. Il nome della grolla deriva, molto probabilmente, dal termine tedesco "graal" che potrebbe essere stato introdotto in Valle d'Aosta dai walser insediatisi nelle valli ai piedi del gruppo del Monte Rosa. Nel sacro graal, Giuseppe d'Arimatea raccolse il sangue uscito dal costato di Cristo in croce.

Nella grolla, ancora oggi si beve il vino tra amici proprio per sottolineare il solido rapporto affettivo. Il vino, non a caso, è insieme al pane, elemento fondamentale della ritualità cattolica.

Nella coppa dell'amicizia, nel rispetto di una moda recente, si sorbisce, con tutte le attenzioni del caso, il bollente caffè alla valdostana. Meglio, però, sarebbe dire "caffè a la cogneintze": perché la ricetta – caffè caldissimo, grappa, vino rosso, zucchero, scorzetta d'arancio – sarebbe stata messa a punto proprio a Cogne.

Zuppa dell'asino

Ingredienti:
Vino rosso
Zucchero semolato
Pane integrale raffermo

In una zuppiera si mescolano gli ingredienti e si lasciano riposare per circa mezz'ora. È una preparazione estiva usata nei paesi montagna.

Da *Il cuoco piemontese perfezionato a Parigi*:

Pere martine al forno

Ingredienti:
1 kg di pere Martine
150 g di zucchero
Cannella
2 chiodi di garofano
1 bicchiere abbondante di vino rosso corposo (Donnaz)

Pulire le pere "Martin sec" e disporle in una pirofila o in una teglia da forno. Cospargetele di zucchero semolato; aggiungete chiodi di garofano e cannella. Versare il vino rosso. Cuocere in forno (150°). Lasciare raffreddare prima di servire.

Da *Il cuoco piemontese perfezionato a Parigi.*

Composta di peri "martin sec" o di "messire-jean"

Prendete de' peri intieri, che pelarete se vorrete ma per lo più si servono così interi, toglieteli i fondi e raschiate le code bene, mettendoli in un piccolo vaso di terra e aggiungendovi un piccolo pezzo di stagno per renderli rossi, con acqua e tre oncie circa di zuccaro, se vi sono molti peri mettetevi un piccolo pezzo di cannella, facendoli cuocere davanti al fuoco: quando saranno cotti e che il siroppo non è più chiaro, serviteli caldi, levandoli il pezzo di stagno.

La ricetta viene arricchita con il tempo e l'esperienza e Giovanni Vialardi, nel 1854, la propone così:

Pere martin sec alla casalinga

Avrete un chilogrammo di belle e buone pere di martin sec, tagliate un po' la gamba, poste entro un tegame con 4 ettogr. di zucchero, 3 garofani, un pezzetto di cannella, un bicchiere di vino bianco, con altrettanto acqua, fatele cuocere adagio finché sono cotte tenere, ridotte a sciroppo, d'un bel colore rossigno lucente, servitele sul piatto caldo col loro sciroppo sopra. Si fanno allo stesso modo pelate, o tagliate e ben nette dai semi.

Torta di pane, pere e pesche

Ingredienti:
1 pagnotta
6 uova
1/2 l di latte
Scorza grattugiata di un limone
300 g di amaretti
250 g di grissinio
3 pesche gialle
2 pere "cristiane"
100 g di uvetta
125 g di farina bianca
1/2 bicchiere di grappa
200 g di zucchero
100 g di burro
1 pizzico di sale
2 bustine di vaniglina

Mettere a bagno il pane nel latte. Montare a neve gli albumi. Lavorare lo zucchero con il burro. Unire i rossi. Pestare gli amaretti e i grissini. Grattugiare le pesche e le pere spellate. Aggiungere tutti gli altri ingredienti e amalgamare l'impasto. Disporlo in una teglia da forno cosparso di pangrattato. Cuocere in forno per 50 minuti a 180°.

Ricetta di Franco Zublena della "Valdotaine" di Saint Marcel.

Terrina di marroni con gelato al sidro di mele e crema gianduja

Ingredienti:

Per la terrina:
15 marroni di media grossezza sbriciolati
100 g di panna liquida
5 tuorli d'uovo
1/2 bicchiere di latte
1 cucchiaio di rhum
Burro
Farina di nocciole

Riunire i marroni, panna, latte, rhum e tuorli a frullare. Imburrare una pirofila, cospargerla con la farina di nocciole e sistemarvi il composto. Cuocere in forno, a bagnomaria, per un'ora (180°).

Per il gelato al sidro:
2,5 decilitri di sidro di mele Agrival
3 tuorli d'uovo
125 g di zucchero
3 decilitri di panna liquida
100 g di mela a cubetti saltata in padella

Lavorare i tuorli con lo zucchero e versare il sidro caldo. Unire i cubetti di mela. Mettere al fuoco. Lasciare intiepidire e incorporare la panna. Porre in gelatiera per 210 minuti.

Per la crema al gianduja:
4 tuorli d'uovo
125 g di panna liquida
125 g di latte
125 g di zucchero
50 g di pasta al gianduja

Lavorare i tuorli con lo zucchero. Versare il latte e la panna caldi e il gianduja. Cuocere e lasciare raffreddare. Passare la crema al passino fine.

Per servire: tagliare a fette la terrina di marroni e accompagnarle con la crema e una pallina di gelato. Decorare con lamponi in composta e foglioline di menta fresca.

Ricetta di Gianni D'Amato del ristorante "Il Rigoletto" di Aulla.

Il diavolo e le noci

A proposito del Diavolo, spesso protagonista dei racconti valdostani tramandati davanti al fuoco del camino, ecco un episodio che sarebbe accaduto nella valle del Gran San Bernardo.

In un piccolo villaggio viveva una ragazza assai bella, la quale disdegnava le attenzioni dei giovani coetanei perché aspirava di potere incontrare, un giorno o l'altro, il fatidico principe azzurro. Ambiziosa ma non superba, attendeva volentieri, nel frattempo, ai lavori quotidiani. Qualche sospiro malinconico, ogni tanto. Le amiche la prendevano affettuosamente in giro.

Una sera, nello stanzone dove la gente era solita riunirsi per la mondatura delle noci, arrivò, del tutto inatteso, un individuo di notevoli portamento ed eleganza. Sembrava un signore di città. Affascinante. Sorrise e andò a sedersi accanto alla ragazza e iniziò ad aiutarla. Le sfiorò ripetutamente le mani, raccogliendo le noci nelle ceste.

Era giunto l'uomo del destino? Aveva un modo di fare abbastanza strano, questo sì. Ben presto se ne accorse un vecchio saggio, stimato e ascoltato da tutti: perché il forestiero gettava le noci e tratteneva il guscio?

L'affermazione della piena verità fu questione di pochi minuti. L'anziano, che in vita sua ne aveva visto di tutti i colori, ebbe come un brivido: si fece il segno della croce e bisbigliò parole di preghiera.

Il gesto di fede provocò un improvviso, accecante bagliore che sconvolse gli inconsapevoli presenti. Lo straniero, ora completamente trasformato, comparve nelle vesti del Diavolo. Le sue grida di protesta si sovrapposero alla meraviglia dei paesani. Sparì nel nulla che lo aveva generato.

La ragazza capì la lezione. Non le fu difficile trovare l'amore sincero. Sposò un amico che da mesi la corteggiava con discrezione. Il raccolto delle noci fu prodigioso, quell'anno.

I vini

Nel calore del sole e nella freschezza dell'aria che si combinavano in un effetto immediatamente inebbriante, restammo lungo tempo immobili, mentre mio figlio andava di qua e di là, arrampicandosi sui muretti e sui rami, e cercando le migliori inqudrature. Sullo sfondo della più alta montagna d'Europa e, relativamente alla latitudine, del mondo intero, non ci stancavamo di ammirare i lavorati ricami dei vigneti: più belli così d'inverno, capivo, perché spogli dei pampini, rivelavano più chiaramente i geometrici fregi, la fantasia frenata, la graziosa opera delle loro umane strutture.

Mario Soldati, *Vino al Vino*

Dove le vigne toccano il cielo

L'enologia valdostana viene generalmente considerata di non eccessiva importanza per la modesta quantità di vino ottenuta nei minimi poderi abbarbicati sulle pendici delle montagne. Non può essere trascurato, tuttavia, il significato della presenza di una simile attività in una regione che ha nelle cime più elevate d'Europa e negli alpeggi della Fontina le immagini più appariscenti. La vigna necessita di un habitat particolare. Lo sanno, gli uomini, fino dai tempi antichi. La prosperità dei tralci testimonia l'esistenza di una civiltà che ha messo le radici in un contesto ambientale favorevole, in qualche misura, alla vita di una comunità e all'affermazione dell'agricoltura.

Tutto sommato, l'impresa richiesta dalla costruzione delle terrazze sugli acclivi a perpendicolo deve essere stata ritenuta una fase tanto faticosa quanto indispensabile per il risultato conseguibile, se solo un secolo addietro la superficie vitata sembra fosse di tremila ettari. Zona di confine con la Francia e la Svizzera, la Valle d'Aosta ha inevitabilmente risentito, con riflessi positivi, delle esperienze altrui. Tanto che, oggi, accanto al nebbiolo, al dolcetto e alla freisa si trovano vitigni transalpini quali il gamay e il pinot nero o la petite arvine, importata dal Vallese. Poi, ecco, il fumin, il petit rouge o il blanc de Morgex et de La Salle, probabilmente autoctoni.

Ci si accorge, così, che la Valle d'Aosta può essere intesa come uno speciale contenitore di numerosi piccoli grandi vini. Gli assaggi, infatti, rivelano caratteri ben definiti e riconducibili a una precisa origine territoriale. Più che altrove, in questo caso è possibile parlare di "terroir" nella più ampia accezione del termine francese.

L'abbondanza delle varietà – più di una ventina sono quelle ammesse – permette inoltre di scoprire autentiche chicche nell'ambito dell'area comprendente una quarantina di comuni lungo l'ideale Route des Vins che, attraverso un affascinante percorso di quasi 90 km, collega Pont Saint-Martin a Morgex e La Salle, ai piedi del Monte Bianco. Vini bianchi, rossi, dolci e passiti: dal 1986 molti di loro sono racchiusi nell'unica D.O.C. regionale Valle d'Aosta o Vallèe d'Aoste (che ha conglobato le precedenti denominazioni riguardanti il Donnaz, del 1971, e, del 1972, dell'Enfer d'Arvier).

Le Alpi ostacolano le gelide correnti nordiche; dal sud, giungono gli ultimi soffi dei venti marini, depurati, strada facendo, dell'umidità. Si instaura una sorta di effetto "fohn" che determina il microclima adatto alla vigna. La pioggia è scarsa e, in estate, si verificano le escursioni termiche che influiscono positivamente sui profumi e gli aromi.

Non dobbiamo stupirci, allora, nel vedere immortalati diversi aspetti della viticoltura nell'iconografia artistica valdostana delle epoche passate. Non per nulla uno dei capitelli del magnifico chiostro di Sant'Orso, scolpiti attorno al 1100, raffigura grappoli d'uva.

Vigneti a Donnas.

I vini della Valle d'Aosta

Un itinerario che ci conduca alla ricerca dei vini della Valle d'Aosta, la più piccola regione d'Italia, non può non prendere il via da Pont Saint-Martin. Qui, all'inizio della valle, cominciano le leggende e le storie che diverse generazioni di montanari hanno imparato a raccontare durante i lunghi, freddi inverni. Il ponte romano, forte di un'unica, slanciata arcata di venti metri, scavalca il Lys, il quale delimita la terra dei cento e più castelli come si trattasse di un fossato protettivo appositamente studiato. Le prime avvisaglie montagnose creano la particolare atmosfera che coinvolge immediatamente il visitatore e lo rende disponibile a prestare fede alla voce popolare.

San Martino, vescovo di Tours per ventisei anni (a partire dal 4 luglio 371), fece un patto col diavolo, investito del compito di costruire il ponte in una sola notte in cambio dell'anima del primo essere vivente che lo avesse attraversato. La mattina dopo, al termine dei lavori stabiliti, San Martino gettò un osso sul ponte attirando l'attenzione di una cane al quale, a sua insaputa, era stata affidata la responsabilità di "inaugurare" l'opera del diavolo. San Martino è il protettore dei bevitori. L'approccio ai vini valdostani non avrebbe potuto avere migliore viatico. Inseguito da una banda di gentaglia, il santo trovò ospitalità presso un contadino intento alle occupazioni della vendemmia. Egli pensò di nasconderlo in una botte situata in un angolo buio della cantina. Tutti gli altri tini erano colmi di vino. Quando arrivarono, i furfanti si lasciarono tentare dal desiderio di bere. Bevvero fino a ubriacarsi. Storditi, dormirono a lungo. San Martino si mise in salvo. Prima di riprendere il viaggio ringraziò il padrone di casa con un gesto miracoloso che trasformò tutto il vino in un prezioso nettare.

Su quell'arcata passa il legame che unisce le tradizioni agricole dell'Alto Piemonte – il Canavese – all'imbocco della valle dei ghiacciai eterni, dominati dalle vette più alte d'Europa. Subito sembrerebbe un ambiente poco confacente alla coltivazione della vite. Non è così, però; già a Donnas, appena dentro la valle, si individuano i primi vigneti. Si trovano sulle terrazze ricavate sugli acclivi situati sulla sinistra orografica della Dora Baltea. È la parte più favorevole: esposta a sud e sempre luminosa. È il modulo che, salve rarissime occasioni, contraddistingue la viticoltura valdostana fino al Monte Bianco.

Proprio il percorso del fiume segna, per un'ottantina di chilometri, l'intreccio suggestivo delle vicende che riguardano gli antichi castelli e gli uomini che, per primi, decisero di piantare le vigna e attendere il completamento del lungo ciclo vegetativo. Forse, furono i Salassi, giunti in Valle d'Aosta dalla Valle del Rodano. I romani, probabilmente, diedero un ulteriore impulso alle attività agricole. A Donnaz, non a caso, si trovano i magnifici resti di una strada romana pavimentata a regola d'arte e un caratteristico arco. Le uve più diffuse, qui, sono varietà di nebbiolo (picotendro o picoutener, per l'acino più piccolo e tenero), oltre a freisa e neyret.

La corposità del Donnas, rosso di buona struttura, rievoca naturalmente il Carema, il Barbaresco e il Barolo e gli altri piemontesi che derivano dal nebbiolo. Vino generoso, dunque, da arrosti. Una volta – e questo va inteso come un complimento per le sue qualità – era considerato, al pari di altri vini di pregio, una sorta di filtro d'amore. I muretti a secco fanno impressione e mettono in evidenza la particolare sistemazione delle vigne con i pergolati sorretti dagli inconsueti coni di pietra. La proprietà fondiaria è estremamente parcellizzata e ciò ha favorito la costituzione della cooperativa già nel 1971, praticamente in coincidenza del conseguimento della D.O.C. per il Donnas. La denominazione d'origine controllata riconosceva, in fin dei conti, sia la storia sia la vocazione microclimatica del luogo denominato anche "Provenza del ducato di Aosta". Il clima è secco, la vite non soffre delle malattie provocate dall'attacco di muffe. Uno dei comuni che con Pont Saint-Martin, Perloz e Donnas è compreso nella zona di produzione è Bard. Il suo poderoso castello, un tempo di fondamentale interesse strategico, fu costruito nel X secolo e venne ripetutamente ristrutturato. Vi prestarono servizio il generale Staglieno e il conte Camillo Benso di Cavour, i quali, in seguito, si sarebbero occupati di vino, sia pure a diverso titolo. L'ufficiale, amico di re Carlo Alberto, diventò un ottimo enologo e studiò attentamente le varie fasi della fermentazione non solo dei vini di Langa, ma anche di quelli delle Cinque Terre.

L'uomo politico, esperto di agricoltura, affidò al francese Louis Oudart l'incombenza di vinificare le uve delle tenute di Grinzane contribuendo alla nascita del Barolo moderno.

La tappa successiva riguarda l'Arnad-Montjovet, che del Donnas è parente stretto pur non eguagliandone la struttura. Al nebbiolo si uniscono: vien de Nus, dolcetto, freisa, neyret e pinot nero.

La valle è ampia e il clima è mite, nonostante il vento. Arnad è diventata la capitale del lardo e degli insaccati e affettati più tipici, i quali si accordano alla perfezione col vino locale. Richiamano l'attenzione la severa rocca di Verres, sulla cima di uno strapiombo, e la dimora fortificata di Issogne, dall'altra parte del fiume. Il castello di Issogne fu voluto da Giorgio di Challant, priore di Sant'Orso, membro della più potente delle famiglie valdostane, in piena epoca rinascimentale. Sono di indubbio valore documentale le lunette del porticato affrescate con scene della vita quotidiana di allora con il vino e i formaggi in primissimo piano. Nel 1494 vi soggiornò Carlo VIII, re di Francia. Sulle pareti del sontuoso salone a piano terreno sono raffigurati episodi di caccia.

Gli impianti dell'Arnad-Môntjovet sono sia a pergola sia a filare e costituiscono il segno della continuità tra passato e presente. Il presente più mondano è, comunque, assai prossimo: Saint-Vincent e Chatillon si trovano a due passi e annunciano Chambave, nome tra i più significativi nel contesto vinicolo nazionale. È la terra del Moscato, aromatico ed elegante. Lo adorava Giorgio V d'Inghilterra, quando ancora (1910) era "solo" il Principe di Galles. Dicono giungesse di tanto in tanto in Valle d'Aosta, in incognito, per gustare il raffinato nettare. È anche la terra del petit rouge (picciourouzo), l'uva a bacca rossa per eccellenza di questa parte della regione, che costituisce la base dello Chambave rosso (60% almeno) insieme a dolcetto, freisa, gamay, pinot nero e altre varietà.

Pare che nel 1833, secondo il medico canavese Lorenzo Francesco Gatta, autore di un approfondito saggio sulle viti e i vini d'Ivrea e della Valle d'Aosta, il rosso di Chambave fosse composto da "quattro parti di nebbiolo e una di neretto per cui riusciva un vino liquoroso vermigliuzzo e prezioso che diviene secco e prende l'amaro". Sarà magari esigua la produzione valdostana, ma non difetta certamente di una specifica, favorevolissima letteratura. Non è solo una questione di realtà qualitativa – negli ultimi anni sono stati compiuti progressi prodigiosi – ma di affetto incondizionato. Dei "piccoli" vini, infatti, è facile innamorarsi.

Da un manoscritto del 1675: "Pagus Chambave est miltum memoratum ob suavissumum et accutissimumvinm appianum quod ibi erescit, vulgo dictum le Muscat de Chambave".

Dal diario di un viaggiatore inglese della metà del 1800: "Alcuni vini della Valle d'Aosta, specialmente quelli dello Chambave, di Donnas e di Carema non sono inferiori ai vini del Monferrato. Tra l'altro c'è un ottimo moscato".

Moscato secco e Moscato Passito (o flétri). La differenza è notevole. Le uve migliori devono essere lasciate appassire e la resa in vino raggiunge con difficoltà il 25-30%. Come in altre regioni italiane il passito, per evidenti motivi economici, era preparato esclusivamente da poche famiglie che lo riservavano per le grandi occasioni quali la nascita di un figlio o un matrimonio. È proprio il lungo affinamento che conferisce complessità incomparabili alle infinite sfumature organolettiche di un grande passito.

Quasi in prossimità della fine del paese di Chambave ci sono le vigne delle Muraglie di Ezio Voyat, singolare personaggio dell'enologia valdostana, in qualche modo un predestinato. Suo nonno era un abile bottaio e la famiglia possedeva l'albergo Delle Vigne. Gli va riconosciuto il merito di avere sempre mantenuto vivo l'interesse per il vino nonostante il ben remunerato impiego al casinò di Saint-Vincent. I suoi vini – Moscato secco La Gazzella e il passito e il rosso Le Muraglie – non si fregiano, per volontà del produttore, della D.O.C.

L'altra rilevante realtà di Chambave è data dalla cooperativa "La Grotta di Vegneron", sorta, dopo una lunga fase di gestazione, nel 1980 con 25 soci (oggi ne conta cento e più). L'azienda si distingue anche per i vini di Nus, tra i quali il rosso e il raffinatissimo Nus Malvoisie Flétri (da uve di pinot grigio che assume in valle il nome svizzero), oltre alle grappe.

Vini di straordinaria personalità che si accordano ottimamente con l'incantevole perfezione e la magia del castello di Fenis.

Costruito dagli Challant tra il XIII e il XV secolo, è uno dei simboli più conosciuti della Valle d'Aosta. A Nus, presso un patrizio romano suo amico, avrebbe soggiornato Ponzio Pilato. Può essere che abbia cercato di annegare i rimorsi nel vino locale.

Il Nus Malvoisie Flétri è ottenuto da uve appassite ed è sottoposto a un affinamento in barrique di circa 8 mesi. Nus ospita il monumento al Vigneron Valdotain, ma gli appassionati di enologia non possono dimenticare la figura di don Augusto Pramotton, parroco e leggendario profeta del vino valdostano. Del sacerdote, scrisse Luigi Veronelli: "Combatte da anni la battaglia per la sua Malvasia. Grandi fatiche chiede l'erto vigneto; lo ricompensa dandogli meravigliosa creatura: un vino di bel colore giallo oro, di bouquet pieno (ci cogli oltre ai fiori di campo la nocciola), di sapore morbido dolce e fresco, corpo pieno e stoffa calda e vellutata".

Aosta è vicina, con le viuzze piene di negozi e le vestigia romane e medioevali di rara bellezza, come il Portico e la Porta Pretoria e il chiostro di Sant'Orso. Prima, tuttavia, si impone la deviazione verso la casa dei Grosjean, a Quart. Vincent, enologo, è uno dei protagonisti più recenti della trasformazione qualitativa che ha investito il vino della Valle d'Aosta. Questo perché egli ha lavorato alle dipendenze della Regione e ha avuto l'opportunità di essere sempre a stretto contatto con i produttori. Proprio in città, del resto, è diventato un notevole punto di riferimento l'Institut Agricole Régional, la scuola professionale che ha uno dei più evidenti motivi d'orgoglio nel settore di viticoltura ed enologia.

I vigneti si estendono complessivamente su una superficie di più di sei ettari e mezzo ripartiti in tre appezzamenti assai diversi tra loro per giacitura e dimensioni. Mediamente, la produzione si aggira tra le 45 e le 50 mila bottiglie annue; più della quantità, tuttavia, conta la reale qualità dei vini delle diverse tipologie ottenute nelle attrezzate cantine della scuola. Questo perché la sperimentazione condotta dai tecnici dell'Institut è utilissima per tutte le altre aziende valdostane. La ricerca riguarda l'intero ciclo produttivo, dall'impianto dei vitigni autoctoni e migliorativi opportunamente selezionati alle pratiche di trasformazione e affinamento in cantina.

Sulle alture di Aosta, comunque, si configura l'inizio del regno del

Torrette, il quale prosegue fino a Saint-Pierre, Aymavilles e Villeneuve e Introd passando per altri comuni. La base del Torrette è costituita da petit rouge (70%), il rimanente 30% è formato da gamay, pinot nero, neyret, fumin, dolcetto, vien de Nus. La progressiva affermazione di una apprezzabile cultura per il vino ha suggerito di approfondire certe conoscenze che hanno portato, con ottimi risultati, alla vinificazione in purezza dell'uva fumin. L'esigua disponibilità di bottiglie rende il Fumin – intrigante rosso di speziata e spiccata personalità – una rarità praticamente introvabile oltre i confini della valle.

I terreni, aridi e sassosi e variamente esposti, identificano, di fatto, minuscole sottozone. Può accadere, allora, che l'assaggio faccia distinguere diversi aspetti del Torrette, gradevolissimo rosso da tutto pasto che, nelle annate migliori, può affinarsi serenamente per qualche anno.

I castelli sono più numerosi delle varietà dei vitigni: Sarre, Saint-Pierre, Sarriod de la Tour, Aymavilles si ergono ancora con slancio regale. Qua e là inoltre, restano altre testimonianze di nobili dimore fortificate come a Villeneuve e Introd. Le torri di guardia si confondono, in alcuni centri, con i campanili di incantevoli chiesine.

L'intreccio tra storia e sentimento religioso rappresenta il segno della presenza dell'uomo e della sua civiltà. Assume un profondo significato, di conseguenza, la coltivazione della vite proprio accanto agli emblemi architettonici più appariscenti di una comunità abituata a contendere spazi preziosi ala montagna.

Il castello di Sarre è famoso per i trofei di caccia raccoltivi dai Savoia. La movimentata, pittoresca, disneyana rocca di Saint-Pierre ospita il Museo regionale di scienze naturali. Sarriod de la Tour è sede di manifestazioni culturali e artistiche di vario genere. La mole massiccia e turrita della fortezza di Aymavilles, residenza privata, indica al viandante, sul lato destro della Dora, la strada di accesso alla Val di Cogne e al Parco Nazionale del Gran Paradiso. Nell'Envers, dall'altra parte del fiume, si trovano gli unici vigneti, come dire, non allineati con tutti gli altri della valle. L'eccezione, oltre tutto validissima, è favorita dalla specifica conformazione orografica.

Sotto il castello di Aymavilles è facilmente identificabile la vasta facciata della cantina della Cooperativa des Onze Communes, degli undici comuni del Torrette, alla quale aderiscono trecento soci. Più in basso, sulla strada che da Aymavilles porta, attraverso i meleti di Gressan, fino ad Aosta, è sorta recentemente un'altra modernissima cantina. Appartiene alle Cretes che, con oltre dieci ettari di vigneti, è l'azienda vitivinicola privata più importante della Valle d'Aosta. Si tratta dell'impresa che vede protagonisti Costantino Charrére e Vincenzo Grosjean con risultati sempre più concreti sia per i vini bianchi – Chardonnay e Petite Arvine – sia per i rossi, che vanno oltre il Torrette. Le due espressioni produttive sono integrate da vignaioli quali Anselmet (Villenuve), Cassol (Sarre), Crest (Hone), Tarello (Gressan), l'Institut e lo stesso Charrére, già famoso per il corposo Vin de La Sabla. Nella sua vecchia cantina, ad Aymavilles, merita una visita l'antico torchio per le noci.

Improvvisamente, l'ampia valle del Torrette si restringe, il cammino diventa tortuoso. Le balze si fanno sempre più scoscese. Il petit rouge, tuttavia, dimostra le sue capacità di adattamento anche negli ambienti apparentemente più ostili. Lo assecondano i consueti compagni di viaggio: gamay, dolcetto, pinot nero, neyret, vien de Nus, per il 15%; entrano nella composizione dell'Enfer d'Arvier. "L'inferno" si configura nello straordinario anfiteatro morenico interamente esposto a sud ai piedi di Saint-Nicolas, a circa 750 metri di quota, protetto dai venti e bruciato dal sole estivo. L'incomparabile visione del vigneto della cooperativa locale potrebbe essere scelta quale immagine perfetta di cosa possa volere dire l'impegno dell'uomo in agricoltura, l'uomo che diventa progettista e realizzatore di grandiose sculture.

"Arvier renommé pour ses vins dits de l'Enfer". La citazione è del 1877: una tra le tante destinate a sottolineare le peculiarità del rosso dell'Inferno. Nell'ammirazione va compreso il rispetto per l'immane fatica che nel 1959 ha accompagnato il nuovo modellamento dell'inclinazione delle pareti montagnose per razionalizzare le terrazze. Il disciplinare identifica due piccole appendici a Mombet e Bouse, sulla sponda destra della Dora. Un brevissimo tratto di strada è sufficiente per dischiudere i primi scenari imbiancati delle vette maestose che fanno corona al Monte Bianco. Lassù, in vista della granitica muraglia, a quasi 1300 metri di quota, vengono amorevolmente mantenute le vigne più alte d'Europa: quelle del Blanc de Mogex et de la Salle.

Il clima freddo impedì lo sviluppo della fillossera. Qui, in Valdigne, la vite si impianta senza porta innesto, per propaggine, con l'interramento primaverile dei germogli. Sembrano non rintracciabili con sicurezza le origini del vitigno – che ha pochi riscontri per il corto ciclo vegetativo – ma certo è che dà un vino assai singolare per la caratteristica nota aromatica. Un vino esile di struttura, ma di indubbia personalità. Una sostanziosa parte della produzione riguarda la Cave du Vin Blanc de Morgex et de La Salle, che ne propone una versione spumantizzata col metodo Charmat (Blanc Fripon).

Non vanno dimenticati Carlo Celegato e Marziano Vevey. Essi dimostrano come la caparbietà dei vignaioli-montanari discenda dalla fierezza delle antiche popolazioni dei Salassi, Liguri e Celti che abitarono le valli prima della colonizzazione dei Romani. Un altro religioso, l'abate Alexandre Bougeat, persuase i vignerons, solo pochi anni or sono, a non abbandonare i vigneti prossimi al cielo.

Nel suo *Vino al vino* – il resoconto di un avvincente viaggio compiuto nel 1969 attraverso l'Italia vinicola – Mario Soldati, parlando della Valle d'Aosta, narra la storia ambientata sulla vetta del Monte dei Tre Vescovi, nella catena del Monte Rosa. Il nome sarebbe dovuto alla confluenza, sui tre lati della montagna, dei confini dei vescovadi di Biella, Ivrea e Aosta. Un giorno – chissà quando – i tre religiosi si diedero appuntamento sulla cima per discutere i problemi delle rispettive comunità. L'incontro, causa la delicatezza degli argomenti da affrontare, sarebbe durato a lungo. Ognuno di loro, così, si fece seguire dai principali collaboratori e dal personale addetto alla cucina e alla cantina. Il vescovo di Biella portò Lessona, Bramaterra e “Mottalciata”, vini vecchi, duri e potenti, provenienti da vitigni di puro Nebbiolo, e vino della Meisola, da uve di Nebbiolo miste a Bonarda, più morbido e più passante: i primi furono bevuti con gli arrosti di cacciagione, il Meisola con la “pulenta cunsa”, specialità biellese. L'Erbaluce di Caluso, bianco secco, portato dal prelato di Ivrea, accompagnò gli antipasti – tinche e trote marinate – e la mocetta offerta dal vescovo di Aosta, il quale aveva con sé Carema e, per le fontine, Chambave Rouge. "Infine, vino bianco, secchissimo, di Mogex. Non è dato sapere quanto bevvero, i tre sant'uomini. Ma quale dei vini assaggiati, tutti veramente squisiti, poteva, a loro giudizio, essere proclamato l'eccelso? La controversia non durò a lungo: prima di tutto perché, sebbene fosse una splendida giornata di luglio, si era levato il vento e la sosta non era precisamente gradevole; ma poi perché, come accade a persone di buona fede, e loro lo erano, si misero rapidamente d'accordo. Le guide e i servi non avevano ancora finito di ripiegare le tovaglie e di riempire le gerle con i resti e con le stoviglie, che *l'eccelso al gusto* fu riconosciuto *nell'eccelso alla radice*, e cioè il Morgex: nato e coltivato a milleduecento e portato ai duemilacinque della cima era diventato, mercé questo semplice procedimento di trasporto in alto, uno spumante secco naturale, migliore di qualunque champagne francese che, com'è noto, ha bisogno di lunghe e complicatissime manipolazioni."

Quali sono i momenti giusti per bere il vino?

Vecchia filastrocca valdostana

Après la polenta il faut une brenta
après lo fromadso incò davantadso
après la soupe il faut la coupe
après la rave descendons en cave
après la figue sois in prodigue
après la pomme c'est tout comme
après la poire il faut boire
après la cerise de soif je grise
après la salade je suis malade
après l'eau il faut le tonneau
après le diner ne pas lesine
après le souper il faut en gouter

(Dopo la polenta ce ne vuole una brenta / dopo il formaggio ancora di più / dopo la minestra ci vuole la coppa / dopo la rapa scendiamo in cantina / dopo il fico sii prodigo / dopo la mela idem come detto / dopo la pera bisogna bere / dopo la ciliegia arde di sete / dopo l'insalata sono ammalato / dopo l'acqua ci vuole il tino / dopo il pranzo non si deve lesinare / dopo cena bisogna assaggiare)

Sembra che tutti i suggerimenti della canzoncina trovassero la più fedele applicazione nell'abate Gorret, abile scalatore (nel 1865 salì sul Cervino). Egli scovò addirittura un calice della capacità di ben due litri per adempiere ala regola imposta dai superiori di non bere più di un bicchiere di vino per ogni pasto.

Bevi adorando: in vino ti assolvo

In Valle d'Aosta è stato fondamentale l'impegno dei sacerdoti per diffondere l'attenzione per il vino. Luigi Veronelli scrisse un articolo (*Vini & Liquori*) dedicato proprio alla lodevole azione dei religiosi in diverse regioni italiane. Né va dimenticato, per altro, che un certo Dom Perignon è direttamente interessato alla nascita di un vino di nome Champagne. Ecco alcuni brani dello scritto di Veronelli:

"... Bevo adorando. Qualche volta alzo gli occhi al cielo e i miei figli, maledettissimi cari, ciangottano: esiste. Ma sì: stavo proprio per dire che gli uomini non bastano a tanto miracolo. Va bene educare la vite, vinificare secondo amore e scienza: però a certi miracoli il bipede uomo è negato... Non bisogna essere volgari con chi fa del vino e della vigna un culto inconfessabile. I bevitori viziosi nascondono mani tremanti e voglia di bere continua come una condanna a vita. Chi beve vino e lo capisce e apprezza è come colui che udendo musica sente passare gli angeli e li distingue."

Sono parole del mio Giuan, il Brera (*L'Arcimatto*. Longanesi Editore). Ho sentito passare gli angeli, e li ho distinti, all'assaggio del Chianti dei poderi della Chiesa di San Gersolè dell'Impruneta. Don Gino Malerotti conduce di persona i vigneti (6 ettari di coltura specializzata, 2 in coltura mista), di persona esegue "secondo amore e scienza" la potatura (si attiene a un metodo un po' Guyot e un po' archetto toscano, che gli consente di controllare la vite "al secondo filo, senza che scappi"). Anche di persona, "secondo amore e scienza", vinifica in modo del tutto artigianale senza correzioni da mosto e da filtrati dolci. Il vino lo rimerita, così che assaggi senti gli angeli passare e li distingui: colore rosso rubino cui gli anni danno lieve unghia aranciata; bouquet completo e elegante (insistente il sentore di giaggiolo); sapore asciutto, sapido e ben costruito; nerbo sicuro e stoffa di grande armonia a persistenza.

I preti del vino

Il pezzo scritto sull'assaggio – essì emozionato – di una bottiglia dell'annata 1975 (il 1977 promette grazziaddio ancora meglio) mi ha memorato i preti del vino, dico quelli "miei" di tanti e tanti anni fa.

Certo li avevo sorpresi con quella prima citazione dei I Vini d'Italia *mio primissimo libro: "Introibo ad altarem Bacchi, ad eum qui laetificat cor hominis" (sono le parole che aprono la Missa de Potatoribus, una delle più audaci contaminazioni del sacro e del profano). Altrettanto certo: bastò a ciascuno di loro un attimo solo di riflessione per capire: le avevo usate, non con lo stesso spirito dei goliardi, con la stessa innocenza, ad esaltazione di quell'inesprimibile nel vino, di cui si avvertiva l'esistenza allora come oggi. Del resto è davvero – massì uso la parolaallamoda – "emblematico" che la volta della grande galleria di accesso, o vestibolo, nelle Catacombe romane di Domitilla, del I secolo, sia decorata da quella che si considera la più antica pittura "cristiana": una grandiosa pianta di vite sboccia da un folto cesto di foglie e si distende per tutta l'ampiezza con due tronchi principali, simmetrici e sinuosi, e con una infinità di ramificazioni minori pampini, foglie e grappoli. È il primo esempio di una simbologia costante che ha nelle parole di*

Gesù "Io sono la vera vite, e il Padre mio è il vignaiuolo" (San Giovanni XV 1), assai più che nei precedenti etruschi e romani, il motivo (già nell'ipogeo di San Sebastiano, pochi anni dopo, al centro della vigna è dipinto il Redentore).

Proprio alla coltura della vite, pianta per eccellenza, è rimasto, tra le "opere" di tutta la terra, qualcosa di sacrale. La vendemmia e la vinificazione del frutto sono ancora oggi, in tempi di meccanizzazioni e di affanni, riti gioiosi. Ne fu conferma, allora, l'incontro con alcuni preti vignaiuoli e con i loro vini. Mi piace "rivisitarli" e li ritrovo identici (non ha importanza se due, ahimè, hanno raggiunto in piena pace di spirito – non Bacco – l'Iddio supremo).

L'arciprete di Nus

In Nus ricordano ancora Giovanni Battista Alliod, arciprete. Originario di Ayas, deciso e vigoroso, aveva imposto la coltivazione della vite, scelti i vitigni – l'uno e l'altro dei luoghi, malvasia (ma, contro il nome, più affine ad un pinot grigio) e vien de Nus – e consigliato le "pratiche" sino a fare delle terre alte, alle spalle del paese, esposte a mezzogiorno, un solo ordinato vigneto. Giunse a produrre, all'inizio del '900, con le uve del Benefico Parrocchiale, 200 ettolitri di vino tanto pregiato da essere venduto al Cavallo Bianco di Aosta, albergo primo, allora (ristorante oggi) della Valle. Don Alliod morì, triste per i disastri della fillossera e della peronospora cui non s'era posto completo rimedio, nel 1922; i suoi successori non ebbero coraggio, abbandonarono la vigna.

Ottobre 1942: il parroco nuovo, don Augusto Pramotton, 26 anni, vendemmia quel poco d'uva e si prepara 12 litri di vino. Per fortuna sua, e del paese che ha in "cura", è vignaiuolo, nato in famiglia contadina di Donnaz, tra le vigne; assaggia il vino e sa: colpa grave tradire il dono di Dio. A tanti anni mi aspetta – in tuta, chino sui tralci, al lavoro – nel vigneto erto dietro la Chiesa; gli stringo la mano e ci sento la terra. No, le vigne non sono ancora tutte ricostruite, ma in paese si è fatta l'associazione tra i viticoltori, si sono impiantati 3000 vigneti di malvasia, eseguite le selezioni del vien de Nus che qui, autoctono, è il ceppo dominante e viene bene, sano e rigoglioso; il 10 maggio (di quell'anno tanto tanto e tanto tempo fa; a quanti sono arrivati i "festival" oggi?) addirittura vi è stato il quarto "festival" del Vien de Nus con una cinquantina di espositori. Grandi fatiche vuole l'Arztet (tale il nome della collina esposta a mezzogiorno, migliore per terra e per clima, ripida e sabbiosa, difficile), lo ricompensa dandogli "creature" meravigliose: la Malvasia di colore giallo sottolineato da un brivido rosa, di intenso bouquet, diffuso e morbido, di sapore vellutato, tenero e continuo, dolce non dolce; la Crème du Vien de Nus di colore rosso oscuro e tuttavia vivo e risolto, di bouquet largo, bene dichiarato, e di sapore compiuto, asciutto e gradevole; il Vien de Nus, infine, più popolare e disponibile, rosso vivace e compiacente. L'etichetta, unica per ciascun vino, salvo l'indicazione del tipo, è simbolica: vino prodotto (torchio) a Nus (non pietra miliare di Aosta) all'ombra della Chiesa (campanile) ai piedi delle Alpi (montagne).

I signori valdostani, parchi bevitori

Nel suo libro *I castelli Valdostani*, ricco di illustrazioni e storie avvincenti, Giuseppe Giacosa dedica un capitolo alla vita quotidiana degli Challant e degli altri signori, i Savoia tra questi, che hanno abitato le nobili dimore lungo la Dora Baltea. È senz'altro interessante rilevare come, quasi un secolo fa, venissero immaginate le abitudini alimentari dei castellani.

"Già verso la fine del secolo XII, la tavola dei signori si era fatta copiosa, non occorre dirlo, ma ghiotta, raffinata e fantasiosa. Raffinata, s'intende, non per tenuità, ma per mescolanza di sapori. Anche nei giorni ordinari sono molti e grossi piatti. Carni di bue, di cinghiale, di cervo, di stambecco, di capriolo, di montone, pesci e volatili a seconda dei paesi, cotti al forno, allo stufato o allo spiedo conditi con salse formidabili tutte aromi e pizzicori mordenti di pepe, garofano, cannella, ginepro, ambra, noce moscata, anice e altre delizie fra le quali primeggiavano, bisogna pur dirlo, l'aglio e la cipolla. A tale copia, scelta e condimento di vivande stimolo della sete, soccorrono le ben fornite cantine, che già nel secolo XIV non paghe dei prodotti paesani, accolgono una ricca varietà di vini italiani e forestieri cotti e crudi. Cocevano per conservarlo più a lungo il vino greco di malvasia venuto di Candia che solevano condire con aranci. Fra gli italiani era famoso un certo vino di Piacenza che nessuno più conosce, se pure non proveniva dai colli di Voghera e di Stradella o dalle pendici dell'Appennino fra Piacenza e Parma, del quale facevano incetta anche le cantine francesi. Erano assai gustati i vini di Toscana e di Sicilia e fra i piemontesi il Nebbiolo e il Caluso.

In valle d'Aosta dovettero aver un gran nome, i vini di Donnaz (Ugone di Bard, nella guerra contro il fratello Guglielmo, arse nei primi anni del XIII secolo i vigneti di quel luogo), di Carema, il moscato di Chambava, quel poderoso vino *del'Enfer* che diede forse il nome al villaggio di Liverogne, e il bianco di Mommeliano venuto di Savoja.

Ma a giudicare dal costume dei nostri tempi non si può credere che i signori valdostani fossero, neanche nell'età di mezzo, incontinenti bevitori. Il montanaro è per natura temperante, né di qua dalle Alpi, a quanto si può indurne dalle canzoni, dai tradizionali racconti popolari e dalle novelle, le robuste bevute degenerarono mai, o fu un caso raro, in quelle brutali cotte di che menavano vanto i signori di Francia e d'Allemagna. Innanzi che il piatto fosse portato sulla tavola, la sospettosa vigilanza dei signori voleva che se ne facessero palesi assaggi, paurosi come essi erano di veleno, e contro l'azione dei veleni stavano di continuo sulla tavola specifici amuleti. Nell'inventario delle gioie di Carlo I duca di Savoja (anno 1480) è registrata: *une espreuve plaine de langùes de serpans pour tenir sur la table pour eviter le venyn.* Il Cibario opina che fosse destinata allo stesso ufficio e tenuta in conto di amuleto: *une pierre noire crapaudine garnie a une chainette d'or,* menzionata nello stesso inventario."

Immagine promozionale del concorso "Vini di montagna" della mostra dei vini valdostani.

I vini di montagna e il Cervim

Il CERVIM, il centro di ricerche per la viticoltura di montagna, è stato istituito con la legge regionale della Valle d'Aosta n° 56 del 28 luglio 1987. I fini sono sottolineati chiaramente dai primi articoli del provvedimento, senz'altro unico nel suo genere:

ARTICOLO 1 (Istituzione)
1 – È istituito, con sede in Valle d'Aosta, il "Centro di Ricerche per la Viticoltura Montana" (CERVIM) a cui possono aderire organizzazioni nazionali e internazionali, sotto gli auspici dell'O.I.V. (Office International della Vigne et du Vin), che perseguono gli obiettivi indicati all'art. 2.

ARTICOLO 2 (Obiettivi)
1 – Il centro persegue l'obiettivo di salvaguardare la viticoltura montana in condizioni orografiche difficili (forti pendenze, terrazzamenti ecc.); minacciata dall'abbandono a causa dei costi elevati, proponendo le soluzioni per la protezione del territorio, per ridurre i costi di produzione e per valorizzare la qualità dei prodotti vitivinicoli scaturenti da ricerche scientifiche, attraverso esperienze collaudate e discusse in campo nazionale e internazionale.
2 – Rientrano negli scopi del Centro tutte le iniziative tecniche, scientifiche e culturali inerenti questa tipologia di viticoltura.
3 – Il Centro intrattiene rapporti con tutti gli organismi interessati. Il Centro aderisce formalmente, collabora e fornisce il suo contributo scientifico e sperimentale agli organismi creati per la protezione della vite e del vino.

Fin dal primo momento della sua costituzione, il CERVIM ha visto l'entusiastica adesione del prof. Mario Fregoni e di numerosi studiosi italiani e stranieri (soprattutto portoghesi, spagnoli, tedeschi, francesi, svizzeri e austriaci).

Il centro, che ha sede a Villa Montfleury, in Via Piccolo San Bernardo, poco fuori di Aosta, cura la pubblicazione di due numeri annui della rivista bilingue *Viticoltura di Montagna* e promuove incontri scientifici sui temi che riguardano i diversi aspetti produttivi dei vini "difficili". In Italia, questi vini si trovano nelle Cinque Terre, a Ischia, in Valtellina, nei Colli Piacentini, nel Trentino e nell'Alto Adige, in Val d'Ossola, in alcune zone del Ponente ligure, oltre che, naturalmente, in Valle d'Aosta. Vigne d'alta quota o, comunque, in forte pendenza sono individuabili pure in qualche altra regione italiana e in numerosi paesi stranieri. Basta pensare al Pamir, ai piedi delle vette più alte del mondo, a tremila metri. Nell'Equador, in America Latina, si sale ancora più in alto. Sono vigne verticali quelle del Douro, dove nasce il Porto. Situazioni che si ripropongono in Svizzera, Austria, Francia e Spagna. Ma difficili devono essere considerati pure gli eiswein tedeschi e alcuni vini africani.

I filari e le pergole caratterizzano i diversi scenari e confermano le imprese umane che hanno modificato l'ambiente. Gli stessi vini, però, hanno qualcosa di speciale perché i vitigni, spesso autoctoni, esaltano le peculiarità varietali e la relativa carica aromatica.

Un'ottima opportunità di assaggiare i vini della viticoltura eroica è data dal Concorso Internazionale dei Vini di Montagna che si svolge ogni anno ad Aosta.

La carta dei vini della Valle d'Aosta

La superficie complessiva dei vigneti valdostani è di circa mille ettari; meno, in riferimento a qualche anno fa, ma una maggiore razionalità degli impianti e un più cosciente approccio alle tecniche in cantina concorrono all'ottenimento di vini di spiccata personalità e di elevato interesse organolettico. Oggi più che mai, i piccoli grandi vini valdostani sono in grado di accompagnare disinvoltamente sia un menu della tradizione (mocetta, polenta, zuppe, piatti contraddistinti dalla fontina, civet, carbonade e crostate) sia un menu della moderna cucina creativa.

Blanc de Morgex et de La Salle – Bianchi asciutti come un soffio di purissima aria dei ghiacciai, appena scalfiti da un delicato fondo amarognolo. Da aperitivo; con crostacei e carpaccio di pesce (branzino, in modo particolare); con trote alla valdostana. Ora è disponibile anche la versione spumantizzata.

Il mulino della famiglia Charrère ad Aymavilles.

Muller-hurgau – Aromatico e fruttato nei profumi e nel sapore. Il vitigno fu introdotto nella valle dopo la Seconda guerra mondiale fornendo ben presto i risultati qualitativi sperati. Un ottimo bianco da pesce.

Arnad-Montjovet – Rosso brillante tendente al granato; profumo fine e leggermente mandorlato. Di sapore asciutto e gradevole. Deriva da un uvaggio di nebbiolo (70%), vien de Nus, dolcetto, freisa, neyret e pinot nero. Classico vino da tutto pasto con specialità tipiche.

Enfer d'Arvier – Rosso di un bel colore granato intenso e di buon bouquet (con sentori di rose selvatiche) adatto a molti piatti di carne e paste con sughi impegnativi. Il vino nasce in una conca caldissima – l'inferno – esposta a mezzogiorno. Nell'ampio anfiteatro fa bella mostra un efficiente vigneto voluto dagli oltre 130 soci della cooperativa del luogo. La base dell'uvaggio è data dal petit rouge (85%) più vien de Nus, neyret, dolcetto e altri.

Torrette – Rosso purpureo con riflessi violacei. Il profumo si apre in mutevoli sensazioni di rosa, lampone e mandorla. Uvaggio di petit rouge (70%), fumin, pinot noir, gamay, neret, vien de Nus, dolcetto, coltivati soprattutto nella zona di Amavlles (dove si producono il Premetta e il La Sabla nei poderi di Costantino Charrere). Adatto a salumi, minestre e formaggi.

Pinot Noir – Rosso rubino tendente al granato. Profumo persistente e fruttato, caratteristico come il sapore. Un vino estremamente piacevole che si sposa con diverse preparazioni di carne, ma tuttavia mutevole nei matrimoni d'amore (dipende dalle annate, dalle aziende e dall'impiego delle barrique).

Gamay – Rosso rubino di profumo fresco, appena speziato. Di sapore secco, fruttato, un poco tannico. A base di gamay (90%), è uno dei vini più familiari ai valdostani, i quali lo bevono volentieri a tutto pasto.

Vigneti a Donnas.

Allievi della Scuola di Agricoltura. (Collezione famiglia Charrère, Aymavilles)

Nus – È in tre versioni. Il **rosso** è composto da vien de Nus (50%), pinot noir, petit rouge e altri vitigni a bacca rossa locali; da tutto pasto per i profumi vinosi e freschi e il gusto lievemente erbaceo. Il Nus **bianco** è dato da pinot gris, chiamato localmente, alla svizzera, malvoisie; è un vino da compagnia, da salotto. Il tipo **passito** "Nus Malvoisie Flétri" è decisamente da meditazione. L'elegante castello di Fenis, non per nulla, domina i vigneti di Nus. E la tradizione vuole che Ponzio Pilato soggiornasse qui per placare i rimorsi con il nettare prodigioso.

Donnas – Rosso brillante con riflessi che, con l'affinamento, virano verso il mattone. È ottenuto (85%) da uve nebbiolo (picoutener, localmente). Di corpo e struttura: vino da arrosti, civet e salmì. Nelle sue migliori espressioni regge facilmente a un certo invecchiamento. Sui terrazzi, all'imbocco della valle, nei pressi di Pont Saint-Martin, è in funzione una monorotaia con un trenino per aiutare i vignerons nelle operazioni di trattamento antiparassitario e di vendemmia. Anticamente, il Donnas veniva descritto come un filtro d'amore.

Chambave – Quello rosso è un uvaggio di petit rouge (60%), dolcetto, gamay; pinot noir (vino da tutto pasto). Di grande fama, comunque, il Chambave Muscat (da uve moscato autoctone), per l'aperitivo, lo zabajone, le "tegole" di Aosta (zucchero e un tritato di nocciole e mandorle) e il **Chambave Muscat Flétri**, uno dei più importanti passiti italiani. Il principe di Galles, futuro Giorgio V d'Inghilterra, fu un convinto sostenitore delle qualità del Chambave passito.

Il mulino e i vini della famiglia Charrére

Il capitolo valdostano della lunga storia della famiglia di Costantino Charrére comincia attorno alla metà del XVIII secolo. Proprio allora, attorno al 1750, i familiari del trisnonno, Bernardin, lasciarono l'Alta Savoia e, attraverso il Piccolo San

Bernardo, raggiunsero la tranquilla Aymavilles, dove decisero di insediarsi. Forse non sapevano che sarebbe stato per sempre. Si diedero da fare per costruire la casa tuttora esistente: un edificio rustico e compatto, tipico dell'epoca. Si tratta, in pratica, di un prezioso documento storico per lo straordinario impianto del mulino che si trova a piano terra.

I congegni sono perfettamente in ordine, alle pareti pendono tutti gli arnesi e i pezzi originali di ricambio necessari al funzionamento della molitura delle noci per ricavarne l'olio, che allora era un insostituibile ingrediente nella cucina della Valle d'Aosta. Dall'ampia sala del frantoio alle vecchie cantine il passo è breve. È sufficiente scendere pochi gradini. Risulta facile pensare, di conseguenza, che gli Charrére abbiano inteso emigrare nella valle italiana per dedicarsi alle attività agricole. Lo spirito imprenditoriale non dovette fare difetto neppure al figlio di Bernardin, Etienne, il quale diede impulso all'azienda di famiglia restando al passo con i tempi.

La produzione del sidro costituiva, infatti, una remunerativa risorsa. Così, al mulino venne aggiunta una macina apposita per frantumare le mele destinate alla fermentazione. Evidentemente il futuro era segnato. Louis, figlio di Etienne e nonno di Costantino, adeguò ulteriormente la tecnologia dell'impianto per le nuove esigenze del mercato. Le macine dovevano schiacciare grani e frutti per ricavarne farina di frumento, mais, segale, orzo e castagne. Louis, inoltre, uscì dalla Valle d'Aosta, oltre Pont Saint-Martin, per andare nel Canavese, verso la pianura. Da uno dei suoi viaggi tornò con Ida, la sua sposa. "Era lei – racconta Costantino – che cucinava per tutti. In occasione delle feste preparava sontuosi ravioli al ragù di carne e montagne di sostanziosi gnocchi di patate. Era una cuoca bravissima." Davanti al focolare, con la complicità degli affetti, si mescolavano i sapori piemontesi con le vicende delle persone che venivano da una terra lontana, al di là delle ripide montagne.

Antoine si incaricò di proseguire diligentemente la tradizione di casa fino al 1955. Il commercio di olio di noci e farine non rappresentava più un grosso affare. Per fortuna sua, del figlio

Costantino, e degli appassionati del vino di qualità, prese a dedicarsi alla vigna puntando sull'attenta selezione di uve – rosse – da vinificare. Nel 1988, tanto per dire, la *Guida ai vini d'Italia* del Gambero Rosso riportava i lusinghieri apprezzamenti per la Premetta, una curiosità di poche centinaia di bottiglie, e La Sabla, uno dei primi vini valdostani conosciuti fuori dai confini regionali. L'insegna della cantina era "Anciennne Maison Vigneronne M. Antoine Charrére et Fils".

In quei giorni Costantino, di comune accordo con tre amici, stava concertando il progetto – grandioso per la piccola regione italiana – della fondazione di "Les Cretes", la più estesa azienda privata locale con più di 10 ettari di vigneti specializzati nei comuni di Sarre, Saint-Christophe e Aymavilles. La piena validità dell'intuizione sarebbe stata dimostrata nel 1991, con la prima annata utile.

Ex insegnate di educazione fisica e maestro di sci, dotato di sensibilità e cultura, anche Costantino ha trovato in Piemonte, a Torino, durante gli studi, la donna della sua vita: l'astigiana Imelda. Dal loro matrimonio sono nate due splendide figlie.

L'Institut Agricole Régional

Un ruolo fondamentale, nel progressivo miglioramento dell'enologia valdostana, compete, ormai da tempo, all'Institut agricole régional, sorto nel 1982 grazie alla comunione d'intenti tra la Casa Ospitaliera del Gran San Bernardo, attiva già nel 1190, e la Regione Valle d'Aosta. In precedenza, a partire dal 1951, era già in funzione una scuola di agricoltura condotta, su concessione del consiglio regionale, dagli stessi canonici.

Il particolarissimo microclima della piccola regione alpina evidenzia caratteristiche eccezionali rispetto al resto del territorio nazionale. Per questo la coltivazione della vite richiede studi specifici di sicura affidabilità perché eventuali errori costerebbero cari.

Tante difficoltà, dovute alla conformazione orografica degli esi-

Vendemmia. (Collezione famiglia Charrère, Aymavilles)

gui vigneti, hanno contribuito ad affinare il lavoro degli esperti dell'Institut e a fare nascere una buona cultura del vino. L'argomento, infatti, è sempre più valutato nel suo complesso tecnico e produttivo, commerciale, qualitativo e turistico.

Sul piano della ricerca gli indirizzi sono rivolti principalmente al recupero e alla valorizzazione dei vecchi vitigni autoctoni e allo studio rigoroso nei nuovi per verificarne le potenzialità e le relative capacità di acclimatamento in un ambiente singolare com'è quello valdostano. Il tutto, naturalmente, senza trascurare l'applicazione dell'affinamento in barrique nelle occasioni giuste.

I vigneti di proprietà sono tre, per una superficie totale di oltre 6 ettari. Uno è a Cossan, a 650 metri di altitudine, sui primi rilievi montuosi circostanti Aosta. Si estende per poco meno di due ettari ed è felicemente esposto a sud. Gli impianti si riferiscono a petite arvine, pinot grigio, gamay, petit rouge, grenache, syrah e humagne.

Il campo di Moncenis è in posizione ancora più elevata, a 750 metri, sulla strada che porta al Gran San Bernardo, con esposizione sud-est. I vitigni: chardonnay, Muller Thurgau, pinot grigio, pinot nero e gamay.

Il terzo è attiguo alla sede della scuola, a La Rochére, sempre in felice esposizione a mezzogiorno, e si distingue per la pronunciata pendenza che lo ha trasformato in un ideale banco di prova per gli studi tecnici dell'Institut, i quali hanno la necessità di trarre il maggiore numero possibile di indicazioni dal confronto dei dati forniti dai singoli vigneti. Qui, del resto, il mantenimento della piena efficienza di un terreno agricolo ha valore inestimabile.

Grazie alla costanza dell'impegno degli esperti dell'Institut agricole régional, nomi di fantasia quali Rayon de Soleil (Muller Thurgau), Sang des Salasses (pinot nero), Rouge du Prieur (grenache) o Tresor de Caveau (syrah) sono diventati punti di riferimento per tutti gli operatori della Valle d'Aosta.

Dalla bene attrezzata cantina escono ogni anno circa cinquantamila bottiglie. Qui più che altrove contano le influenze climatiche delle annate. Ma ben al di là delle cifre legate alla commercializzazione hanno importanza i risultati delle prove riguardanti le selezioni clonali (in collaborazione con l'Università di Bologna); il recupero

Vendemmia. (Collezione famiglia Charrère, Aymavilles)

e il mantenimento dei vitigni autoctoni (con l'intervento dell'Istituto di enologia di Asti) – attualmente sono tenuti in grande considerazione mayolet, fumin e prometta – pure attraverso le comparazioni organolettiche (per alcuni aspetti è chiamato in causa l'Istituto Sperimentale per la Viticoltura di Conegliano Veneto), le microvinificazioni per lo studio dei lieviti (il fine è quello di arrivare a ottenere enzimi specifici – autoctoni – per esaltare le peculiarità varietali).

Dall'albergo delle vigne ai vini delle muraglie

Posso tranquillamente affermare di essere nato in mezzo alle vigne e al vino. Da piccolo aiutavo già mio padre e i nonni in tutte le attività agricole; all'età di quattro anni – nel 1932 – ruzzolai dalle scale mentre stavo scendendo in cantina, luogo tra i più familiari per i miei giochi di bambino irrequieto. Antonio, il nonno materno, era bottaio, un artigiano valente e rinomato. Costruiva recipienti di legno di ogni dimensione, ma i più richiesti erano i barili della capacità variabile tra i 30 e i 50 litri per essere meglio trasportati a dorso del mulo o di un asino. Le botticelle erano appese agli appositi ganci cercando di bilanciare accuratamente il carico che le bestie dovevano sopportare durante i faticosi viaggi nei ripidi sentieri di montagna.

Una volta gli vennero richiesti 1200 secchi di legno da usare negli alpeggi per raccogliere il latte della mungitura. Le botti le vendeva soprattutto in Liguria, in Piemonte, nella Savoia e in Svizzera; aveva parecchi clienti e il lavoro non gli mancava di certo, aveva saputo riscattare un'infanzia misera. Il mestiere lo aveva imparato a Genova, città nella quale si era recato, senza un soldo in tasca, quando aveva solo dieci anni. Credo gli abbia insegnato tutto un certo Cerreto, forse nativo di Alba o di Courgné.

Qui vicino – siamo a Chambave – i miei possedevano la "Cantina delle vigne", costruita nel 1890 – in seguito ampliata per diventare "L'Albergo delle vigne". C'era un'insegna – "A

Vendemmia. (Collezione famiglia Charrère, Aymavilles)

la fleur du vin – a bon prix" – che conservo tuttora con grande affetto.

Cantina e albergo erano frequentati da gente altolocata. Dal castello di Sarre, nella stagione della caccia, arrivavano i Savoia. Si accomodavano sotto il pergolato e rendevano ogni onore ad abbondanti calici di vino passito. Da Saint-Vincent, invece, provenivano facoltosi imprenditori come Borsalino. Agli ospiti erano serviti formaggi – fontina e tome – sempre ben stagionati, boudins e pane nero. Il vino li metteva di ottimo umore, ne acquistavano anche piccole partite da portarsi a casa. Erano tutti buoni clienti.

Le uve erano poste ad appassire nelle soffitte, con grappoli appesi a cordicelle. Costituivano un autentico spettacolo per i visitatori abituati a vivere nelle grandi città.

L'albergo, inoltre, riscuoteva grande fama per la qualità del burro e della fontina. Il fatto è che affittavamo i pascoli negli alpeggi e in contropartita chiedevamo i prodotti, così potevamo scegliere il meglio. Una certa disponibilità economica ci permetteva di acquistare scorte di farina di frumento, farina di mais e sale oltre a una mezzena di mucca.

Le storie della famiglia di mia madre, Cesarina, si intrecciano e presentano analogie con quelle di mio padre, Leonardo.

Nonno Edoardo, infatti, aveva un albergo a Dondena, a circa a 2100 metri di altitudine, con le camere dotate di impianto di acqua corrente. L'acqua – freddissima – era prelevata da una ricca sorgente sotterranea e immessa in un serbatoio grazie alle robuste pompe a mano manovrate dai giovani di casa. L'energia per l'illuminazione e il funzionamento della macchina da caffè era garantita da un generatore a carburo. L'albergo disponeva di un proprio impianto telegrafico. A Dondena, del resto, si trovava spesso re Umberto, appassionato di caccia. Il portalettere, ogni due giorni, assicurava il recapito della corrispondenza. Da Bard occorrevano almeno sei ore di marcia. Edoardo Voyat restava per ore e ore a scrutare l'orizzonte con il binocolo. Teneva sotto osservazione il percorso del Canavese per individuare in anticipo quanti fossero in procinto di giungere a

Messa a dimora di un melo. (Collezione famiglia Charrère, Aymavilles)

cercare ristoro. Allora, egli impartiva subito l'ordine di scaldare il brodo e la carne, adatti per ogni evenienza. Nel brodo, qualche volta, veniva aggiunto un po' di vino per ottenere una corroborante bevanda.

Mio padre, aviatore, ebbe la fortuna di viaggiare e conoscere diverse regioni italiane. Per fortuna seppe tenere sempre vivo l'interesse per l'enologia cercando di imparare nuove cose a Roma, nel Veneto e in Toscana. Da Canelli portò a Chambave le barbatelle per rinnovare il vigneto del moscato falcidiato dalla fillossera. Sapeva innestare alla perfezione, seguiva ogni fase, nella vigna e in cantina, con grande rigore. È stato lui a trasmettermi l'amore per il vino.

Ricordi di Ezio Voyat

Il génépy

Il liquore che oggi conosciamo e acquistiamo nei negozi specializzati della Valle d'Aosta è ottenuto con procedimenti industriali messi a punto a partire dagli anni venti. In precedenza, i montanari usavano mettere a macerare nella grappa o nell'alcool erbe, fiori e radici di ogni genere (arrivando addirittura a certe resine). Tutto questo era il risultato di uno stretto rapporto tra uomo e territorio, tra loro in perfetta simbiosi. Gli spiriti e le piante, d'altra parte, hanno sempre avuto – già nell'antichità – una impressionante valenza magica e medicamentosa.

Genzianella, melissa, cedrina, lampone, issopo e artemisia, artemisia giacialis, artemisia génépy. Il génépy: nero e maschio, il più pregiato.

La gente lo raccoglieva e ne preparava infusioni e alcolati da conservare per le occasioni più importanti. Ma le misteriose piantine si riproducono a fatica. Dice una leggenda che l'artemisia abbia bisogno di almeno quindici anni. Probabilmente non è vero, ma la loro raccolta è strettamente controllata secondo norme rigidissime.

(Collezione Ezio Voyat)

Esistono dei campi in luoghi impervi del Parco Nazionale del Gran Paradiso che sono raggiungibili soltanto dopo molte ore di marcia, a 3000 metri di altitudine, in prossimità dei ghiacciai. Più in basso, a circa 2800 metri di quota, si trova il "maschio bianco", detto "mimosa" per la somiglianza dei fiori. L'artemisia femmina, invece, sviluppa soprattutto le foglie e non è adatta agli impieghi di erboristeria per il gusto amarognolo.

Sono i fiori, pronti tra la fine di agosto e i primi giorni di settembre, a essere utilizzati in liquoristica.

Per provare – ammesso di avere la possibilità di reperire l'artemisia adatta – si può procedere così: sistemare almeno 35-40 grammi di fiori in un vaso di vetro a chiusura ermetica con 350 grammi di alcool puro, chiudere e lasciare riposare per circa un mese. Ricordarsi di scuotere periodicamente il recipiente. Quando è il momento, preparare uno sciroppo con 500 grammi di acqua calda e lo zucchero, lasciare raffreddare, filtrare la soluzione alcolica e unirla allo sciroppo. Chiudere la bottiglia e mettere a riposare per qualche settimana. È una base di partenza sulla quale apportare le eventuali modifiche gustative. In commercio, però, se ne trovano di molto buoni.

Oppure si può procedere nel seguente modo:

macerare i fiori del génépy nella grappa zuccherata. Il liquore risulterà meno delicato. È preferibile adoperare un distillato di vinacce di uve bianche non aromatizzate per esaltare la nota varietale dell'artemisia.

Glossario

Alpenbllu
Gressoney: palline di polenta contenenti pezzetti di toma e burro. Cogne: beloque de polenta. Sarebbe un mangiare dell'alpeggio.

Arnad
Lardo di Arnad. Piccolo centro della bassa valle reso famoso per il commercio dell'ottimo prodotto. Il lardo di Arnad era già buono in partenza, prima della concia, poiché i maiali erano alimentati in parte con le castagne, che in zona abbondavano. Tuttora lardo e castagne sono spesso proposti insieme, per antipasto. Nella cittadina, in estate, si svolge la festa dedicata al lardo e ad altre specialità locali.

Artemisia
I suoi fiori sono impiegati per il génépy.

Asulette
(Assolette). Minestra di farina di segale.

Arnad-Montjovet
Vino rosso gradevole e fine. Uvaggio di nebbiolo, freisa, neyret, vien de Nus. Sono assai rinomati il lardo e i salumi di Rinaldo Bertolin.

Beot
Recipiente di pelle bovina usato una volta per il trasporto del vino.

Blanc-manger
Bianco mangiare. Di origine medioevale riferito al colore del cibo. Oggi è, in pratica, la panna cotta; in Valgrisanche è la zuppa di mandorle.

Blanc de morgex et de la salle
Vino bianco da vitigno autoctono prodotto nei due comuni della Valdigne, in prossimità del Monte Bianco, a 1200 metri di altitudine.

Bosses
Località all'inizio della Valle del Gran San Bernardo. Famosa un tempo per la qualità del prosciutto.

Boudins
Sanguinacci. Spesso fatti con patate, barbabietole e sangue (vaccino o suino), con lardo e spezie.

Brochat
Mistura di latte fresco, vino e zucchero messi a bollire a fuoco lento.

Brossa
Sottoprodotto del ciclo della fontina ottenuto aggiungendo aceto al siero. Si raccoglie e si consuma con la polenta. Molto usata in alpeggio.

Carbonade
Carbonata. Carne salata rosolata con burro e cipolla e portata a cottura col vino (bianco o rosso). Servita con polenta o patate bollite (oppure purè).

Caffè alla valdostana
Ricetta recente e variabile negli ingredienti a seconda delle località. Generalmente contiene caffè, zucchero, distillato (grappa o brandy, più raramente), cannella, scorzette di limone o d'arancio.

Caillettes
Fresse. Involtini di cavolo con polmone e fegato di maiale cotti con vino rosso.

Chambave
Località famosa per i suoi vini, tra i quali il Moscato e il Moscato passito.

Civet
Sivè – Salmì. Modo di preparare la selvaggina da pelo.

Copapan
Particolare attrezzo da cucina per rompere il pane nero raffermo da utilizzare per le zuppe.

Cognentze
Zuppa alla cognentze (di Cogne). Zuppa con riso, fontina e pane (spesso preventivamente fritto nel burro).

Crema di Cogne
Crema tipica a Cogne. Ingredienti: latte, panna, zucchero, uova e cioccolato.

Un tempo veniva preparata in occasione di Sant'Orso. Oggi i pretesti per apprezzarla sono molteplici. Si accompagna con tegole, biscottini (lingue di gatto) e chiacchiere. Esistono diverse varianti.

Donnas
Donnaz. Vino rosso corposo a base di nebbiolo (picout ner). Località romana della bassa Valle.

Enfer d'arvier
Vino rosso di buona personalità prodotto in un'ampia valle – l'inferno – bene esposta, poco dopo Villeneuve, sulla strada per Courmayeur.

Fessilsuppu
Valle del Lys. Minestra di riso e fagioli. La cottura viene completata in padella o in forno con fettine di toma.

Fiocca
Panna a fiocchi, con zucchero e grappa. Da consumarsi prima o dopo il classico dessert.

Flandlein
Crema di latte, uova, zucchero, rhum e pane di segale. Courmayeur.

Flantze
Pane con uvetta. Focacce.

Fonduta
La fontina a dadini viene ricoperta di latte e lasciata riposare. Poi si scalda a bagnomaria e quando comincia a fondere si aggiungono – uno per volta – i tuorli d'uovo necessari. Si completa con lamelle di tartufo bianco.

Fontina
Formaggio (a denominazione d'origine protetta dal 1996 e D.O.C dal 1955) ottenuto esclusivamente in Valle d'Aosta con il latte delle mucche appartenenti alle razze pezzata rossa e pezzata nera valdostane. È posta in commercio dopo tre mesi di stagionatura obbligatoria in speciali magazzini con umidità (98%) e temperatura (8-10°) controllate.

Fresse
Involtini di foglie di cavolo con frattaglie di maiale cotti con brodo e vino – Bassa Valle – dette anche "quagliette" o "caillettes". Nella Valle del Lys le foglie potevano essere sostituite dalla retina del maiale (tipiche anche nell'albese).

Fumin
Vino rosso speziato e piacevole. Uva diffusa nella zona del Torrette, nei dintorni di Aymavilles solo da pochi anni, vinificata in purezza.

Génépy
Liquore tipico della Valle d'Aosta ricavato anticamente con infusione nella grappa dei fiori raccolti nel Parco Nazionale del Gran Paradiso a 3000 metri di quota.

Lardo
Vedi Arnad.

Losa
Pietra impiegata per arrostire le carni. (È la stessa pietra scistosa utilizzata per i tetti delle baite.)

Meculin
Mecoulin. Tipo di panettone con scorza di limone e uvetta preparato a Cogne (una volta a Natale, ora tutte le settimane).

Martin-sec
Tipo di pere originarie del canavese.

Miasse
Miasce. Sorta di focacce di farina di granturco preparate con i ferri da cialde.

Mocetta
Motzeta. Carne salata ed essiccata: prima di stambecco e camoscio, poi di capra e pecora. Oggi di manzo. Eccellente antipasto insieme a lardo di Arnad e boudins.

Monte bianco
Dolce di castagne bollite e passate al setaccio e ricoperte di panna fresca. È evidente il perché del nome.

Nus
Cittadina famosa per i suoi vini. Ospita il monumento al vignaiuolo di montagna realizzato dallo scultore ligure (di Albissola) Antonio Siri.

Olio
In Valle d'Aosta si parla di olio di noci, usato per condire le verdure. Una volta (XVIII secolo) i frantoi erano frequenti. Uno è ancora in attività a Villeneuve. Il grande chef Gualtiero Marchesi lo suggerisce in alcune sue ricette.

Pain perdu
In uso pure in Francia. Modo per recuperare il pane raffermo. Lo si immerge nel latte zuccherato al quale è stato aggiunto un rosso d'uovo sbattuto. Il pane è fatto sgocciolare e fritto nel burro. Lo si spolvera di zucchero Courmayeur e dintorni.

Pane nero
È il pane di segale. Veniva preparato in autunno nei forni comuni dei villaggi di montagna ed era conservato. Dopo alcuni mesi induriva e doveva essere frantumato con il copapan.

Panna
Sostanza che affiora spontaneamente sul latte fresco lasciato riposare.

Petite arvine
Vino bianco di buona personalità. Uva originaria del Vallese (Svizzera).

Petit rouge
Vino rosso di buona beva. Uva rossa che entra nella composizione di diversi vini valdostani (Enfer d'Arvier, torrette, Nus, Chambave).

Polenta concia
Diverse versioni della polenta di granturco con latte, burro e fontina.

Premetta
Vino rosso fresco e profumato prodotto in minime quantità. Uva che entra nella composizione dei vini rossi valdostani.

Ratelet
Rastrelliera sulla quale disporre le forme di pane di segale per conservarle.

Rebleque
Reblec. Formaggio fresco e cremoso formato con lo strato superficiale della cagliata. Non si può stagionare.

Repouta
Sorta di giardiniera di verdure di ogni tipo (cavoli, rape, barbabietole e altre) sbollentate in acqua e aceto e poste in conserva, con sale, in appositi recipienti. Cogne.

Ricotta
Dopo la brossa è possibile aggiungere altro aceto al siero, scaldare fino all'ebollizione e raccogliere la ricotta.

Sailetta
Sorta di ricostituente composto da farina bianca sciolta nel vino rosso.

Salagnon
Salignon. Ricotta alla quale vengono aggiunti olio, spezie, un cucchiaio di aceto. Si lascia riposare qualche ora e si spalma su fette di pane come antipasto o merenda.

Saint-Marcel
Località nei pressi di Aosta. Un tempo conosciuta per i fagioli. Oggi nota per il prosciutto e la grappa.

Seirass
Serè – Seras. Sorta di ricotta residuo del ciclo della fontina.

Sanguinacci
Boudins.

Seupa
Seuppa. Zuppa.

Soca
Carne salata stufata o bollita in brodo con verze e patate. La cottura viene rifinita in forno con burro e fontina.

Sorca
Sorcha. Fagiolini verdi stufati con burro, lardo e cipolla. Gran San Bernardo e Monte Bianco, con altre verdure.

Speck und chnolle
Gnocchi di grano saraceno con speck. Gressoney.

Tegole
Sottilissimi dischi di un impasto di mandorle, nocciole, zucchero, bianco d'uovo e un poco di farina bianca. Sono prodotte ad Aosta dai primi anni trenta. Ottimi con panna, gelato e crema di Cogne.

Tetetta
Teteun, tetin. Mammella di mucca marinata in salamoia ed essiccata. Antipasto. Valle del Gran San Bernardo e Cogne. A Gignod, in agosto, sagra della Tetteta.

Toma
Formaggio di medie dimensioni (scalzo di 10-12 cm). Può essere più o meno grasso e di diversa stagionatura. Generalmente è ricavato con il latte di due mungiture.

Torcetti
Biscotti di pasta frolla tipici di Saint-Vincent.

Torrette
Vino rosso della zona compresa principalmente tra Aosta e Aymavilles. Uvaggio di più qualità (petit rouge, gamay e altre). Buono a tutto pasto.

Tzemesada
Carne salata.

Ueca
Zuppa. Orzo perlato con costine e verdure (zucchini, cipolle, patate e carote) rosolate tutte.

Valpellinentze
Valpelleunentze. Vapelenentse. Zuppa con pane, fontina, cavolo verza e brodo cotta al forno. È il piatto simbolo della tradizione culinaria della Valle d'Aosta sia per gli ingredienti sia per la semplicità di esecuzione. In estate – a Valpelline – festa folcloristica dedicata all'omonima zuppa.

Valdostana
Alla valdostana. Ricette di moderna concezione, definite "alla valdostana" per la presenza della fontina.

Zuppa fredda
Seuppa freida: Gran San Bernardo; Seuppa de l'ano: Bassa Valle; Seuppa ou fret: Cogne. Zuppa con pane nero, zucchero e vino rosso.

Bibliografia

Ennio Celant, *Valle d'Aosta* (1989, Edizioni Mida Bologna). Come tutti i volumi della collana è stampato su carta paglia. Contiene proverbi, modi di dire e piacevoli illustrazioni (anche a colori). Ricette in italiano, patois e inglese.

AA.VV., *Piatti e vini valdostani* (1989, Musumeci Editore Aosta). Agile volumetto di 63 pagine con parecchie fotografie a colori. Ricettario con breve introduzione e schede organolettiche dei principali vini valdostani.

S. Bovo E. Sanguinetti G. Vola, *Valle d'Aosta gastronomica* (1993, Musumeci Editore Aosta). Interessante saggio storico e merceologico con diverse illustrazioni. È basato su succinte monografie introduttive riguardanti i prodotti agricoli e zootecnici e i vini. Seguono ricette tradizionali e relative varianti fornite da ristoranti della Valle d'Aosta (sono forniti gli indirizzi).

Accademia Italiana della Cucina, *La fontina, tradizione e gastronomia* (1994, Roma Atti del convegno svoltosi il 23 ottobre 1993 ad Aosta). Sono pubblicati gli interventi dei relatori e alcune ricette.

Luigi Veronelli, *Guide Veronelli all'Italia piacevole Piemonte e Valle d'Aosta* (1968, Garzanti Editore Milano). Guida alfabetica dei comuni delle due regioni. Di ogni località sono fornite notizie storiche e artistiche e indicazioni sulle specialità enogastronomiche. Di sorprendente attualità. In appendice: dizionario dei termini usati nelle segnalazioni di opere d'arte.

Francois Mathiou, *Le fromage fontine, origine, commerce et fabrication* (1991, Aosta). È la terza edizione – pubblicata il lingua francese – e non compare il nome dell'editore (probabilmente Musumeci). La prima edizione risale al 1974. Oltre 350 pagine dedicate a un solo argomento: la Fontina. Del tipo: tutto quello che avreste voluto sapere sul famoso formaggio valdostano. Storia, storie, ricette. Molte fotografie a colori. Copiosa fonte ispiratrice di numerosi lavori seguenti.

* * *

Gemma Ouvrier, *Cucina della Valle di Cogne* (1990, Pheljna Edizioni d'arte e suggestione).

Elida Noro Désaymonet, *Cucina della bassa Valle d'Aosta* (1992, Pheljna Edizioni d'arte e suggestione).

Lucienne Faletto Landi, *Cucina ai piedi del Monte Rosa* (1992, Pheljna Edizioni d'arte e suggestione). Tutti i volumi di questa singolare collana sono introdotti da Giorgio Vola. Essi sono contenuti in cofanetti blu nei quali sono incastonati medaglioni in bassorilievo appositamente realizzati da famosi scultori valdostani, autori delle opere riprodotte in fotografia. Altre illustrazioni consistono in vecchie foto (per lo più di persone). Le copie sono numerate e firmate. Ricette in italiano, francese e patois. Proposte di abbinamento con i vini. Esistono altri titoli riguardanti le zone del Gran San Bernardo e del Monte Bianco.

Luciana Faletto Landi, *Les valdotains a table* (1992, Musumeci Aosta). Libro di fondamentale importanza per le notizie storiche, le vicende e gli atti, che riporta tutti scritti in francese. È in lingua italiana un capitolo – ne è l'autore Luigi Reggio – riguardante le origini della denominazione "Fontina". Alcune foto e una chicca: la copia di una circolare della società "Pro-Polenta" di Aosta del 1923 (nel venticinquesimo anniversario della fondazione).

AA.VV., *Les montagnards sont là* (1992, Edizioni Lassù gli ultimi stampa Musumeci). Bellissimo libro con fotografie di Gianfranco Bini e Giuseppe Simonetti. Le splendide illustrazioni spiegano tutte le varie fasi dell'alpeggio con effetti emozionanti. Il testo, sempre gradevole e coinvolgente, descrive gli stati d'animo delle persone e i momenti di vita sui pascoli alpini.

A. Dosi. F. Schnell, *A tavola con i romani antichi* (1984, Edizioni Quasar Roma). Saggio certamente tra i più attendibili sull'alimentazione degli antichi Romani. Moltissime fotografie. Ricette. Bibliografia ricchissima.

Giovanni Goria, *La cucina del Piemonte* (1990, Franco Muzzio Padova). Attraverso il preciso racconto delle ricette l'autore scrive un gustoso saggio storico sulla cucina piemontese, con documentati richiami alla Valle d'Aosta (a partire dalla fonduta).

Pellegrino Artusi, *La scienza in cucina e l'arte di mangiare bene* (1970, Einaudi Torino, con introduzione e note di Piero Camporesi).

AA.VV., *Cogne e la sua valle* (1995, Musumeci Aosta). Guida agile e piacevole – con belle foto a colori – della Valle di Cogne. Utili i suggerimenti sulle possibilità escursionistiche in questa parte tanto suggestiva del Parco Nazionale del Gran Paradiso.

AA.VV., *La valle del Gran San Bernardo – Storia, natura, itinerari* (1996, Kosmos Torino). Guida ricchissima di informazioni di ogni genere sulle località della Valle del Gran San Bernardo. Molte le foto a colori. Sono compresi indirizzi e numeri di telefono per organizzare l'eventuale soggiorno in zona. Utili suggerimenti sulle possibilità escursionistiche. Bibliografia.

A. Maria Nadia Patrone, *Il cibo del ricco il cibo del povero* (1989, Centro Studi Piemontesi Torino). Approfondito saggio sulla storia dell'alimentazione nell'area pedemontana negli ultimi secoli del Medio Evo. Glossario. Bibliografia. Ristampa anastatica della prima edizione del 1981.

Giorgio Vola Enzio Sanguinetti, *Vini e distillati della Valle d'Aosta* (1990, Musumeci Aosta). Volume di oltre 220 pagine riccamente illustrato con fotografie di vigneti, persone, etichette e piatti tipici. Contiene le schede dei vini D.O.C e alcune ricette. Molto elegante la parte introduttiva: "La vite attraverso i secoli". Ampi riferimenti bibliografici. La parte finale è riservata a vini da tavola, liquori e distillati valdostani. Il libro è stato diffuso anche in fascicoli monografici riguardanti i singoli vini.

A cura di Silvano Serventi, *Il cuoco piemontese perfezionato a Parigi* (Torino 1766-1995, SLOW FOOD Editore Bra). Il titolo originale è molto più lungo. La pubblicazione è avvenuta con la collaborazione della Società Studi Storici di Cuneo e la Società Storica Vercellese. L'introduzione di Silvano Serventi si rivela assai preziosa per l'adeguata collocazione storica del ricettario. Torino e Piemonte, così, acquistano nuove dimensioni verso le quali fare riferimento per conoscere meglio lo sviluppo e l'affermazione di una importantissima cucina regionale. Di grande attualità, dopo quasi due secoli e mezzo. Note e glossario.

Giovanni Vialardi, *Trattato di cucina, pasticceria moderna credenza e relativa confettureria* (1986, A. Forni Editore). Ristampa anastatica con gustosa premessa di Giuseppe Mantovano, che ricorda come l'autore sia stato alle dipendenze di Carlo Alberto e Vittorio Emanuele II. Quando il libro uscì (Torino 1854), il Conte di Cavour era primo ministro da due anni. Il che sottolinea il prestigio del cuoco della famiglia reale nei confronti dei colleghi piemontesi e di altre regioni.

Hans-Robert Amman, *Quelques aspects de l'importation du vin valdotain en valais au XVI siecle* (1992, L'Arciere Cuneo). Capitolo contenuto nel II volume di *Vigne e Vini nel Piemonte moderno*. Ricerche coordinate da Rinaldo Comba. La pubblicazione è avvenuta con la collaborazione della Famija Albesia. Il saggio è l'unico in lingua francese del II volume (in lingua francese è un capitolo riguardante la cucina piemontese nel primo volume scritto da Silvano Serventi).

Riccardo Di Corato, *Viaggio fra i vini della Valle d'Aosta* (1974, Edizioni EDA, Torino). Citazioni, ricordi e cronache concorrono a definire un preciso aspetto dell'enologia valdostana agli inizi degli anni settanta. Da allora, molto è cambiato. Ma resta intatta come documento di rilievo questa ricerca puntuale e ricca di informazioni e note bibliografiche. Il volume – assai raro – è completato da illustrazioni d'epoca (riguardanti i castelli) e fotografie. Presentazione di Francesco Crea.

Mario Soldati, *Vino al vino – Alla ricerca dei vini genuini* (1969, A. Mondadori Editore). Affascinante diario di viaggio nell'Italia dei vini attraverso le storie degli uomini, dalla Valle d'Aosta alla Sicilia. Passione, sensibilità, curiosità e affetto dell'autore per gli argomenti trattati rendono i tre volumi singolari opere letterarie di notevole interesse. Numerose fotografie a colori di Wolfango Soldati.

AA.VV., *Guida gastronomica d'Italia* (1931, T.C.I. Milano). La prima edizione della guida dedica ad Aosta e alla sua provincia (ancora in Piemonte) tre pagine con la seguente introduzione: "Nella zona alpestre della provincia, la gastronomia presenta delle particolarità proprie, derivanti sia dall'impiego di alimenti che più strettamente appartengono alla fauna e alla flora montana sia dal modo si prepararli". Prefazione di Arturo Marescalchi.

Laura Gras Portinari, *Cucina e vini del Piemonte e della Valle d'Aosta* (1971, Mursia Milano). Contiene 536 ricette, precedute da una introduzione dell'autrice, e un'appendice riguardante i vini.

Massimo Alberini, *Piemontesi a tavola – Itinerario gastronomico da Novara alle Alpi* (1967, Longanesi Milano). Con 12 tavole a colori fuori testo e una interessante bibliografia. Saporito racconto-saggio, com'è nello stile dell'autore, sempre avvincente e documentato, sulla cucina piemontese. Riferimenti alla fonduta.

Paolo Monelli, *Il ghiottone errante* (1935, Treves; 1992 Biblioteca del Vascello Roma). Il reportage del primo inviato italiano a tavola e in cantina risale al 1935. Ma risulta tuttora delizioso e denso di odori ed emozioni. Illustrazioni (disegni) di Novello, compagno di tante scorribande.

Ringraziamenti

Per il contributo alla ricerca e i preziosi suggerimenti l'autore desidera ringraziare:

Paolo e Franco Vai, Alfio Fascendini, Luciana Franchin Benin, Franco Zublena, Rodolfo Coquillard, Rinaldo Bertolin, Lorenzo Butturi, Laura Ruberto, Emanuele Dupont, Guido Chabod, Costantino Charrère, Vincent Grosjean, Ezio Vayat, Fanrizio Buillet.

Hanno inoltre collaborato Federico Ricci e Roberto Spineta (Studio Associato, Sarzana), e Graziano Pozzetto (San Pietro in Campiano).

Foto originali e riproduzioni a cura di Tommy Malfanti (Castelnuovo Magra).

Il disegno di pagina 184 è di Fulvio Viquery ed è stato realizzato per conto dell'Assessorato Regionale all'Agricoltura della Valle d'Aosta.

Le illustrazioni delle pagine 17, 21, 23, 37, 39, 101, 158 sono tratte dal *Tacuinum Sanitatis* (a cura di Luisa Cogliati Arano, Electa Editrice, 1973).

L'illustrazione di pagina 93 è tratta da *L'Italia dei formaggi – Un grande patrimonio* (a cura del Ministero Agricoltura e Foreste, Franco Angeli Editore, 1992) ed è una miniatura del Theatrum Sanitatis del XV secolo (Biblioteca Casanatense, Roma).

Un ringraziamento particolare va agli amici ristoratori che hanno messo a disposizione alcune ricette che dimostrano la grande valenza gastronomica della cucina valdostana.

Indice delle ricette